VEX KING

GOOD
VIBES,
GOOD
LIFE

WIE SELBSTLIEBE
DEIN GRÖSSTES
POTENZIAL ENTFALTET

Aus dem Englischen
von Sabine Schulte

Rowohlt Taschenbuch Verlag

Die Originalausgabe erschien 2018 unter dem Titel
«Good Vibes, Good Life»
bei Hay House UK Ltd., London.

Deutsche Erstausgabe
Veröffentlicht im Rowohlt Taschenbuch Verlag, Hamburg,
Dezember 2020
Copyright © 2020 by Rowohlt Verlag GmbH, Hamburg
«Good Vibes, Good Life» Copyright © 2018 by Vex King
Covergestaltung zero-media.net, München,
nach dem Original von Hay House Publishing
Illustrationen Copyright © 2018 by Camissao
Satz aus der Whitman
Gesamtherstellung CPI books GmbH, Leck, Germany
ISBN 978-3-499-00525-1

Mum, dieses Buch widme ich dir. Unser Leben war schwer, aber mit deiner Kraft, deinem Glauben und deiner Beharrlichkeit hast du Unglaubliches für uns erreicht.

Ganz gleich, was du bewältigen musstest und wie oft ich dich enttäuscht habe, du hast mir immer bedingungslose Liebe geschenkt. Diese Liebe hat dich Opfer bringen lassen, und diese Liebe hat dafür gesorgt, dass ich das Lachen nicht verlernte. Du hast mir verziehen, mich in die Arme genommen, hast gelacht, inspiriert, ermutigt und geheilt und alles getan, was in deiner Macht stand, um zu zeigen, dass mit Liebe nichts unmöglich ist. Deswegen stehe ich heute hier und gebe meine Liebe durch meine Worte an andere weiter.

Und Dad – ohne dich wäre ich gar nicht auf der Welt. Weil

du so früh gestorben bist, konnte ich dich nie richtig kennenlernen, aber immer, wenn ich es am meisten brauchte, spürte ich deine Energie, und sie leitete mich. Ich weiß, wie viel ich dir bedeutet habe. Ich hoffe, du bist stolz auf mich.

Zum Schluss möchte ich dieses Buch allen widmen, die einen Traum haben – ob sie nun davon träumen, ihr Lebensziel zu erreichen oder einfach einen dunklen Tag zu überstehen. Mein Traum war es, ein Buch zu schreiben, das das Leben der Menschen auf der ganzen Welt zum Positiven verändert. Und wenn ich dazu beitragen kann, kannst du das ebenfalls. Ich glaube an dich – und ich hoffe, du tust das auch.

Inhalt

Einleitung

Als Kind hatte ich drei Jahre lang kein festes Zuhause. Meine Mutter, meine Schwestern und ich wohnten bei Verwandten und mehrmals auch für kurze Zeit in einem Obdachlosenheim. Ich war dankbar, dass wir ein Dach über dem Kopf hatten, aber ich erinnere mich auch, wie beängstigend die Erlebnisse in dieser Unterkunft waren.

Am Eingang lauerten immer unangenehme Typen, die uns anstarrten, wenn wir das Gebäude betraten. Ich war vier Jahre alt, und ich fürchtete mich. Aber meine Mutter versicherte mir, dass uns nichts passieren würde. Sie sagte, wir sollten einfach nach unten gucken und direkt in unser Zimmer gehen.

Eines Abends hatten wir die Unterkunft noch einmal kurz verlassen, und als wir zurückkamen, waren die Treppe und die Wände im Flur voller Blut. Der Fußboden war mit Glasscherben übersät. So etwas Schreckliches hatten meine Schwestern und ich noch nie gesehen. Wir schauten zu unserer Mutter hoch, und ich spürte ihre Angst. Aber wieder war sie tapfer und sagte, wir sollten vorsichtig über die Glasscherben steigen und in unser Zimmer hinaufgehen.

Immer noch erschüttert von dem, was wir gesehen hatten, rätselten meine Schwestern und ich, was unten im Flur des

Obdachlosenheims passiert sein mochte. Da hörten wir Rufe und Schreie und dann chaotisches Gepolter. Es war furchtbar. Wieder suchten wir bei unserer Mutter Beruhigung und Trost. Sie zog uns an sich und sagte, wir sollten uns keine Sorgen machen – aber ich hörte, wie heftig ihr Herz klopfte. Sie fürchtete sich genauso sehr wie wir.

In jener Nacht schliefen wir kaum. Die Schreie wollten nicht aufhören. Ich wunderte mich, dass die Polizei nicht kam und anscheinend auch sonst niemand versuchte, schlichtend einzugreifen. Die Sicherheit der Heimbewohner schien niemanden zu kümmern. Uns war zumute, als seien wir von allen vergessen worden. In einer Welt, die uns kalt und gewissenlos vorkam, hatten wir niemanden außer uns selbst.

Wenn ich mit meinen Freunden und Verwandten über solche Kindheitserinnerungen spreche, sind sie überrascht, dass ich mich an so viel erinnern kann. Häufig fragen sie: «Wie kann es sein, dass du auch das noch weißt? Du warst doch noch so klein.» Ich erinnere mich nicht mehr an alles, und die Details sind häufig verschwommen. Deutlich im Gedächtnis geblieben sind mir allerdings meistens die Gefühle, die ich bei diesen Erlebnissen hatte, den guten wie den schlimmen. Die Ereignisse lösten sehr starke Emotionen bei mir aus, und die Erinnerungen daran verfolgten mich noch lange Zeit.

Als Jugendlicher wünschte ich mir, der Großteil dieser Erinnerungen würde einfach verschwinden. Ich wollte sie auslöschen, wollte die schweren Zeiten, die ich als Kind durchgemacht hatte, vergessen. Manche Erinnerungen waren mir sogar peinlich. Ich war unzufrieden mit dem, der ich war. Manchmal sagte und tat ich Dinge, die zu dem Kind, das ich im tiefsten Innern noch war, nicht passten. Ich fühlte mich häufig von der Außenwelt verletzt – und das wollte ich ihr dann heimzahlen.

Heute gehe ich anders mit den Erinnerungen um. Ich blicke auf meine Kindheit zurück und nehme alles an, was geschehen ist. Man kann aus jedem Ereignis etwas lernen.

Ich erkenne, dass die schönen, die schlimmen und auch die absolut scheußlichen Ereignisse mich alle zusammen zu dem gemacht haben, der ich jetzt bin.

Auch wenn manche Erlebnisse schmerzhaft gewesen sind, waren sie letztlich ein Segen, denn sie haben mich sehr viel gelehrt. Meine Erfahrungen haben mir den Antrieb gegeben, einen Weg aus dem Elend heraus in ein besseres Leben zu finden.

Ich habe dieses Buch geschrieben, weil ich das, was ich gelernt habe, weitergeben möchte. Ich hoffe, es kann dir Klarheit bringen und dich anleiten, ein, wie ich es nenne, *großartigeres Leben* zu führen und dein größtes Potenzial zu entfalten. Was du mit meinen Geschichten machst, liegt an dir. Manche Gedanken werden Anklang bei dir finden, andere wirst du ablehnen, und das ist in Ordnung. In jedem Fall bin ich davon überzeugt, dass dein Leben sich in unglaublichem Maße positiv verändern wird, sobald du die Prinzipien, die ich in diesem Buch vorstelle, anwendest.

Ich bin weder Philosoph noch Psychologe, weder Wissenschaftler noch spiritueller Lehrer. Ich bin einfach jemand, der gern lernt und seine Einsichten teilt, weil ich hoffe, dass sie dazu beitragen können, andere Menschen von unerwünschten Gefühlen zu befreien und ihre Freude und ihr Glück zu verstärken.

Ich glaube, wir alle sind hier auf der Erde, um etwas zu verändern. Ich möchte dir helfen, deine Bestimmung zu finden, damit du zu unserem Leben in dieser Welt, in der gerade so viel Chaos herrscht, etwas Wertvolles beitragen kannst. Wenn wir die Erde alle gemeinsam bewusst bewohnen, verringern wir die Last, die wir ihr aufbürden. Du wirst, indem du dein volles Potenzial entfaltest, nicht nur deine eigene Welt verändern, sondern auch die Welt um dich herum.

Manche Menschen richten sich recht bequem in der Mittelmäßigkeit ein. Sie vermeiden es, ein großartigeres Leben zu führen, ein Leben, das über das hinausgeht, was die Mehrheit als Norm betrachtet. Ein großartigeres Leben erfordert nämlich, dass man die eigene Größe erkennt. Das heißt, schlicht gesagt, dass man zur bestmöglichen Version seiner selbst wird. Man durchbricht die eingebildeten Grenzen, die einen in einem Leben festhalten, mit dem man sich vermeintlich arrangieren muss, und dringt in die Bereiche des Unvorstellbaren vor. Dank dieser geistigen Offenheit führen wir ein Leben ohne Beschränkungen und entdecken unendliche Möglichkeiten. Man kann daher nicht definieren, wo Großartigkeit anfängt oder aufhört. Wir können nur danach streben, immer besser zu werden.

Hör auf, anderen imponieren zu wollen.
Imponiere dir selbst.
Fordere dich.
Prüfe dich.
Sei die bestmögliche Version deiner selbst.

Dieses Buch verlangt von dir jetzt, in diesem Moment, die Entscheidung, besser zu werden. Ich möchte dir helfen, besser zu werden als der Mensch, der du gestern warst, und zwar jeden Tag und in jeder Hinsicht, dein ganzes Leben lang. Wenn du mit diesem Wunsch erwachst und dann bewusst daran arbeitest, ihn zu verwirklichen, wirst du überrascht sein, wie viele Anregungen sich auftun. Dein Leben wird dir deine verbindliche Entscheidung für den Fortschritt widerspiegeln.

Größe ist nicht eindimensional zu verstehen. Der Begriff ist zwar immer subjektiv gefärbt, aber die meisten assoziieren damit, dass jemand besondere Begabungen, viel Geld oder materiellen Besitz, Autorität oder Status und große Leistungen für sich verbuchen kann. Wahre Größe ist jedoch mehr als das. Sie kann nicht ohne ein Lebensziel, Liebe, Selbstlosigkeit, Bescheidenheit, Dankbarkeit, Güte und natürlich – für uns Menschen an erster Stelle – Glück bestehen. Für mich bedeutet Größe, dass man in sämtlichen Lebensbereichen Meisterschaft erlangt und einen positiven Einfluss auf die Welt hat. Großartige Menschen leben nicht nur mit hohem Einsatz, sondern wir schätzen sie überhaupt als wunderbare Erdbewohner.

Du verdienst ein großartigeres Leben, und dieses Buch wird dir helfen, dieses Leben zu erschaffen.

TÄGLICHES ZIEL:

Besser sein, als ich gestern war.

Poste Fotos oder deine schönsten Bilder, Seiten, Zitate und Erlebnisse im Zusammenhang mit diesem Buch in den sozialen Medien unter #VexKingBook, damit ich sie liken kann und damit sie auch andere inspirieren.

Was ist Selbstliebe?

Um in Frieden zu leben, benötigen wir Gleichgewicht: Ausgewogenheit zwischen Arbeit und Freizeit, zwischen Handeln und Geduld, Verbrauchen und Aufsparen, Lachen und Ernst, Fortgehen und Bleiben. Wenn du nicht in jedem Bereich deines Lebens ein Gleichgewicht erreichst, kannst du dich erschöpft fühlen, und unliebsame Emotionen, wie etwa Schuldgefühle, können hinzukommen.

Hier ein Beispiel für das Gleichgewicht zwischen Handeln und Geduld: Wenn du im Abschlussjahr an der Uni ein Gruppenprojekt leitest und dabei bemerkst, dass ein Gruppenmitglied, das du eigentlich gern magst, in den sozialen Medien aktiv ist, statt im Team mitzuarbeiten, lässt du das vielleicht beim ersten Mal durchgehen. Wenn es mehrmals passiert und du feststellst, dass die Leistung der gesamten Gruppe darunter leidet, warnst du den Betreffenden möglicherweise, dass du ihn dem Seminarleiter melden musst, falls das so weitergeht. Angenommen, der andere ignoriert deine Warnung und ändert sein Verhalten nicht, hättest du dann ein schlechtes Gewissen, wenn du weitere Maßnahmen ergreifen würdest?

Wenn du ein freundlicher, mitfühlender Mensch bist, befürchtest du vielleicht, dass du deinen Mitstudenten kränken und ihm Probleme bereiten wirst. Solltest du der Seminarleitung Bericht erstatten, dann könnte das ernste Konsequenzen für ihn haben, die seine Abschlussnote beeinflussen und Auswirkungen auf seine Zukunft haben könnten. Andererseits aber respektiert dieses Gruppenmitglied dich nicht und ignoriert deine Warnungen. Vielleicht hast du das Gefühl, dein Mitstudent verlässt sich darauf, dass du ein Auge zudrückst. Und vielleicht machst du dir Sorgen, dass andere aus deiner Projektgruppe deine Nachsicht ihm gegenüber als Bevorzugung ansehen und von dir enttäuscht sind.

In diesem Beispiel brauchst du, wenn du freundlich und ehrlich bist und dein Vorgehen fair war, kein schlechtes Gewissen zu haben, wenn du weitere Schritte unternimmst.

Wichtig ist zu erkennen, dass du nicht ungerecht handelst, wenn du jemanden zur Rechenschaft ziehst, der keine Rücksicht auf dich nimmt.

Als Projektleiter kannst du dir sagen, dass du zwar dein Bestes getan hast, dass dein Mitstudent sich aber leider entschieden hat, nicht zu reagieren. Wenn du passiv bleibst, riskierst du, sowohl deinen Seelenfrieden als auch den Respekt deines Teams zu verlieren, und außerdem gefährdest du deine eigene Abschlussnote.

Du fühlst dich entspannter und vermeidest unangenehme Gefühle wie Schuldbewusstsein, wenn du eine ausgewogene Vorgehensweise wählst. Damit demonstrierst du sowohl Handlungsfähigkeit als auch Geduld. Du zeigst, dass du

Verständnis hast und bereit bist zu verzeihen, machst aber zugleich deutlich, dass du auch entschlossen durchgreifen kannst. Selbst wenn der Student sich über deine Entscheidung ärgert, wird er dich trotzdem respektieren, weil du ihm eine Chance gegeben hast.

Und was hat das jetzt mit Selbstliebe zu tun? Der Begriff der Selbstliebe wird oft missverstanden. Selbstliebe ermutigt zur Selbstakzeptanz, doch viele missbrauchen sie als Ausrede, um keine Selbstkritik zu üben. Die Selbstliebe besteht aus zwei wesentlichen Komponenten, die ins Gleichgewicht gebracht werden müssen, wenn man ein harmonisches Leben führen möchte.

Die erste Komponente ermutigt dich zu bedingungsloser Liebe zu dir selbst. Dabei geht es um deine innere Haltung. Du wirst dich nämlich nicht inniger lieben, wenn du abnimmst oder zunimmst oder dich einer Schönheitsoperation unterziehst. Klar, so etwas kann natürlich dein Selbstvertrauen stärken, aber wahre Selbstliebe bedeutet, dass du dich selbst wertschätzt, wo immer und wer immer du bist, ganz gleich, was du vielleicht an dir verändern möchtest. Man bezeichnet diese Haltung auch als Selbstakzeptanz. Du bist zufrieden damit, wer und wie du bist.

Die zweite Komponente fördert dein Wachstum, und dabei geht es ums Handeln. Selbstliebe bedeutet nämlich auch, dass du dein Leben verbesserst, weil du erkannt hast, dass du mehr verdienst als das Mittelmaß.

Überlege in diesem Zusammenhang, was es heißt, andere Menschen bedingungslos zu lieben. Deine Partnerin oder dein Partner zum Beispiel hat vielleicht Angewohnheiten, die dich nerven, was jedoch nicht bedeutet, dass du sie oder ihn weniger liebst. Du akzeptierst diesen Menschen so, wie er ist, und manchmal lernst du sogar von seinen Schwächen. Außerdem möchtest du das Beste für ihn. Falls er mit einer bestimmten Gewohnheit seine Gesundheit schädigt, wirst du ihm daher helfen, diese Gewohnheit abzulegen. Das ist ein Beweis deiner bedingungslosen Liebe. Du würdest ihn nicht heftig kritisieren, sondern du möchtest, dass er die beste Version seiner selbst ist – seinetwegen. Selbstliebe heißt, diese Haltung auch auf sich selbst anzuwenden: Du selbst willst dein Bestes.

Wahre Selbstliebe kann sich in allem zeigen, was dein Leben bereichert, von der Ernährung bis hin zu spirituellen Übungen oder deinem Verhalten in persönlichen Beziehungen.

Richtig verstandene Selbstliebe verhilft uns zu Selbstermächtigung und Befreiung. Sie gestattet uns, das Gleichgewicht zwischen innerer Haltung und äußerem Handeln zu finden. Ohne dieses Gleichgewicht werden wir regelmäßig stolpern, stürzen und nicht mehr weiterwissen. Aber wenn du dich selbst liebst, wird dein Leben dich auch lieben.

Das Gleichgewicht zwischen Haltung und Handeln wird dir eine höhere Schwingungsfrequenz ermöglichen. Mit dem Thema der Vibes, also der Vibrationen oder der Schwingungen, wollen wir uns in den folgenden Kapiteln ausführlicher beschäftigen.

Selbstliebe bedeutet, dass du dich so akzeptierst, wie du bist, gleichzeitig aber weißt, dass du mehr im Leben verdient hast, und darauf hinarbeitest.

ERSTER TEIL

EINE SACHE DER VIBES

Einstieg

Mein Studium war in finanzieller Hinsicht ein Kampf. Ich hatte zwar ein Studiendarlehen, doch den größten Anteil davon verschlang meine Unterkunft, sodass mir nur noch sehr wenig zum Leben blieb. Lehrbücher konnte ich mir nicht leisten. Meine Mutter wollte ich nicht um Geld bitten, weil ich wusste, dass sie selbst knapp bei Kasse war. Wenn ich sie gefragt hätte, hätte sie das Geld irgendwie für mich zusammengekratzt, so wie sie es ihr Leben lang getan hatte – auch wenn das bedeutete, dass sie selbst dann nichts mehr zu essen hatte.

Meistens kam ich mit meinem Geld ganz gut aus. Ich konnte regelmäßig mit meinen Freunden losziehen und feiern, ich litt nie Hunger, und ich musste auch nicht immer die gleichen Klamotten anziehen. Ich verdiente mir etwas Geld mit Online-Aufträgen, indem ich zum Beispiel auf My-Space individuelle Seitenlayouts für Kunden entwickelte.

Während eines Sommertrimesters fuhr ich nach Hause, um eine Pause zu machen. Ich hatte kein Geld mehr, und alles erschien mir schwierig. Ich wollte nicht an die Uni zurück, weil mir das Studium keinen Spaß machte, und ich hatte auch keine Motivation, in den Sommerferien Hausarbeiten zu schreiben. Da ich einen großen Teil des Jahres studiert hatte, war ich allerdings gezwungen, mir für den Sommer einen Job zu suchen. Der Lohn dafür sollte mich dann nach der Rückkehr an die Uni über Wasser halten. Meine Freunde planten alle zusammen einen dringend nötigen Urlaub, aber ich konnte mir nicht leisten mitzufahren. Außerdem hatte ich Probleme mit einem Mädchen. Ich ärgerte mich ständig über die Dramen in meinen Liebesbeziehungen und in meinen Freundschaften und war einfach unzufrieden mit meinem Leben.

Eines Abends bekam ich ein Buch mit dem Titel *The Secret – Das Geheimnis* in die Finger.[1] Leser schrieben dazu, es habe ihr Leben verändert und wirklich *jeder* könne davon profitieren. Ein einfaches Prinzip lag ihm zugrunde: das Gesetz der Anziehung.

Das Gesetz der Anziehung beruht auf der Annahme, dass wir mit unserem Denken unsere Realität gestalten. Mit anderen Worten: Wir können das, was wir uns im Leben wünschen, anziehen, indem wir unsere Gedanken darauf ausrichten. Das Gleiche gilt allerdings auch für die Dinge, die wir uns nicht wünschen, oder einfach ausgedrückt: Auf was du dich konzentrierst, das wird zu dir kommen. Das Gesetz der Anziehung betont also, dass es wichtig ist, sich das vorzustellen, was man sich wünscht, statt sich auf das zu konzentrieren, was man befürchtet oder ablehnt.

Das Gesetz der Anziehung legt großes Gewicht auf positives Denken.

Für mich klang das zu schön, um wahr zu sein, daher forschte ich weiter. Konnte ich das Gesetz der Anziehung vielleicht auch auf mein eigenes Leben anwenden?

Ich wusste ganz genau, was ich wollte: mit meinen Freunden Urlaub machen. Dafür brauchte ich etwa 500 Pfund. Ich folgte also den Anleitungen im Buch und bemühte mich, so positiv zu denken, wie ich konnte.

Etwa eine Woche später erhielt ich einen Brief vom Finanzamt, in dem stand, dass ich möglicherweise zu viel Steuern bezahlt hatte. War das ein Zeichen dafür, dass das Gesetz der Anziehung wirkte? Ich füllte das beiliegende Formular aus, in dem noch nach Einzelheiten gefragt wurde, und schickte es umgehend zurück. Eine Woche verging, ohne dass ich etwas hörte. Meine Freunde standen in den Startlöchern, um den Urlaub zu buchen, und mir war elend zumute, weil ich nicht mitkonnte. Dass ich möglicherweise eine Steuerrückzahlung erhalten würde, hatte ich aber noch im Hinterkopf.

Frustriert rief ich beim Finanzamt an und fragte, ob mein Brief angekommen sei. Man bestätigte mir den Eingang und sagte, ich würde bald Näheres hören. Ich war ganz aufgeregt – doch mir blieb kaum noch Zeit. Das Sommertrimester ging zu Ende, und meine Freunde würden schon bald unterwegs sein.

Eine weitere Woche verging, und ich hatte immer noch keine Post bekommen. Allmählich gab ich die Hoffnung auf. Ich sagte den anderen, sie sollten den Urlaub ohne mich buchen, und entschied mich, mich auf etwas anderes zu konzentrieren und mit der Lektüre von Selbsthilfe-Ratgebern meine Laune zu verbessern. Das würde mir zumindest helfen, mich in meinem Leben etwas wohler zu fühlen.

Einige Tage später kam der Brief vom Finanzamt. Nervös riss ich ihn auf. Darin lag ein Scheck über 800 Pfund. Ich war erschrocken, überwältigt und außer mir vor Freude. So schnell ich konnte, flitzte ich zur Bank und reichte den Scheck ein. Normalerweise dauerte es fünf Tage, bis das Geld auf dem Konto war, aber diesmal klappte es innerhalb von drei Tagen.

Am folgenden Montag buchten meine Freunde und ich einen Last-Minute-Urlaub, und vier Tage später flogen wir los. Der Urlaub war wunderschön, doch etwas anderes war noch wichtiger: Von nun an war ich überzeugt, dass das Gesetz der Anziehung wirkte.

Ich beschloss, dieses Prinzip zu nutzen, um mein Leben von Grund auf zu verändern.

Warum das Gesetz der Anziehung nicht genügt

Damit das Gesetz der Anziehung Gutes für dich bewirken kann, musst du positiv denken. Allerdings ist es nicht einfach, ständig positive Gedanken zu haben. Wenn im Leben etwas schiefgeht oder sich nicht ganz so entwickelt, wie wir es erwartet oder erhofft hatten, fällt es uns oft schwer, optimistisch zu bleiben.

Die meisten hielten mich für einen positiven Menschen, aber wenn es schwierig wurde, war ich davon weit entfernt. Schon immer hatte meine Wut mir sehr zu schaffen gemacht. Manchmal lösten äußere Ereignisse so heftigen Zorn in mir aus, dass ich alles hätte kaputt schlagen können. Als Folge davon geriet ich emotional in eine Abwärtsspirale. Meine Stimmung schwankte ständig zwischen Hochgefühlen und extremer Niedergeschlagenheit, so als bestünde ich aus zwei verschiedenen Personen. Diese Unbeständigkeit spiegelte sich in meinem ganzen Leben. Ich erlebte richtig gute Phasen und machte dann wieder ganz schlimme Zeiten durch. Während der schlimmen Zeiten war es mir unmöglich, die guten Seiten des Lebens zu sehen. Ich hatte dann die Tendenz, aufzugeben und meinen Frust an meiner Umgebung auszulassen. Ich zertrümmerte Möbel, wurde in Gesprächen mit anderen grob und jammerte über mein schreckliches Leben.

Während meines letzten Studienjahres erlebte ich einen schweren Rückschlag. Bei einem Gruppenprojekt, das einen bedeutenden Prozentsatz meiner Abschlussnote ausmachen würde, konnten wir uns nicht einigen, wie groß der Beitrag der einzelnen Gruppenmitglieder sein sollte. Ich bemühte mich, die Sache optimistisch zu betrachten, und erwartete, dass wir schließlich doch einen gemeinsamen Nenner finden würden. Aber stattdessen wurde die Situation immer verfahrener.

Plötzlich erkannte ich, dass das Gesetz der Anziehung offenbar nicht immer galt. Meine Gruppe war vollkommen zerstritten, ständig wurde über die Rollen der einzelnen Mitglieder und ihre Beiträge zum Projekt diskutiert, und bis zum Abschluss waren es nur noch wenige Monate. Die Lage geriet außer Kontrolle, harte Worte fielen; leider gelang es uns nicht, das Problem zu lösen. Mein Freund Darryl und ich fanden, dass wir sehr unfair behandelt wurden, aber wir konnten nicht viel dagegen tun, außer noch zehnmal härter zu arbeiten. Dabei fürchteten wir, unsere Deadlines nicht einhalten zu können, zumal unser übriges Arbeitspensum ja noch hinzukam. Wir waren überzeugt, dass es unmöglich war, unsere Hausarbeiten und die Prüfungen zu schaffen, und dass wir folglich unseren Abschluss nicht machen konnten. Anscheinend war das ganze Studium umsonst gewesen.

Ich war zur Uni gegangen, weil ich mich dazu verpflichtet fühlte. Es wurde erwartet, dass man studierte, wenn man einen guten Job haben und komfortabel leben wollte – etwas, das ich in meiner Kindheit nicht gekannt hatte. Aber im tiefsten Innern wollte ich eigentlich gar nicht studieren. Es machte mir keinen Spaß. Ich wusste schon immer, dass ich nicht in einem herkömmlichen Job landen würde. Ich zog mein Studium vor allem für meine Mutter durch. Mein Leben lang hatte ich mit angesehen, wie sehr sie sich abmühte, und ich wollte ihr zeigen, dass ihre Anstrengungen nicht umsonst gewesen waren.

Und jetzt, da ich dem Ziel so nah war, sollte alles vergeblich gewesen sein. Ich konnte immer nur daran denken, dass ich meine Mutter enttäuschte, dass ich mir selbst nicht gerecht wurde und dass ich so viel Geld für einen Abschluss vergeudet hatte, an dem ich scheitern würde. Es war alles für die Katz gewesen. Meine negativen Gedanken überwältigten mich.

Ich sagte meiner Mutter, dass ich das Studium abbrechen würde, weil ich keinen Grund sah, mich noch weiter damit herumzuquälen. Ich hasste die Universität, und was ich da durchmachen musste, war unfair. In meiner Wut brauchte ich einen Sündenbock, daher gab ich meiner Mutter an allem die Schuld. Liebevoll versuchte sie mich zu überreden, an der Uni zu bleiben und dort mein Bestes zu tun, aber in meinem Zorn stritt ich mich nur noch heftiger mit ihr.

Ich hatte die endlosen Probleme satt und wollte alles hinter mir lassen. Ich hatte kein Ziel mehr und sah keinen Sinn mehr in meinem Leben. In meiner Niedergeschlagenheit kramte ich sogar ein paar von meinen schlimmsten Erinnerungen aus meinem Gedächtnis hervor und goss damit Öl ins Feuer. Ich redete mir ein, mein Leben sei wertlos. Welcher Sinn lag darin, Träume zu haben, wenn ich sie niemals realisieren könnte? Ich redete mir ein, ich wäre eine lebende Lüge und machte mir nur vor, dass ich etwas Großartiges leisten könnte.

Eins schien damals klar zu sein: Ich war nie zu Großem bestimmt gewesen. Also durchforstete ich Onlinejobbörsen und bewarb mich, obwohl ich die nötigen Qualifikationen nicht besaß, auf eine Reihe von Stellen, die einigermaßen interessant aussahen und gut bezahlt wurden. Ich dachte, wenn ich so einen Job ergattern könnte, würde ich nicht als totaler Versager dastehen und hätte wenigstens etwas Geld, um meiner Familie zu helfen, Schulden und Rechnungen zu bezahlen. Zu diesen finanziellen Verpflichtungen gehörten auch die Hochzeiten meiner Schwestern. In meinen Anschreiben erklärte ich meinen potenziellen Arbeitgebern, ich sei zwar unterqualifiziert, wäre aber der ideale Mitarbeiter. Ich bekam keine einzige Antwort.

Im Grunde war mir klar, dass ich das Studium nicht einfach schmeißen konnte, nachdem ich schon so weit gekommen war. Ich hatte sehr viel Energie darauf verwendet, einen Ausweg aus meinem Dilemma zu suchen, jedoch ohne Erfolg. Jetzt war es an der Zeit, mich meinen Aufgaben zu stellen und auf das Beste zu hoffen.

Zuerst aber musste ich zur Hochzeit meiner ältesten Schwester nach Indien. Das erhöhte den Druck, der auf mir lastete. Es bedeutete nämlich, dass ich eine Hausarbeit früher einreichen musste als meine Mitstudenten und gezwungen war, mir nur zwei Monate vor den letzten Abgabeterminen freizunehmen, was mich noch weiter zurückwerfen würde. Starrsinnig erklärte ich meiner Familie, ich könne nicht zur Hochzeit kommen. Dabei wusste ich genau, dass ich es ewig bereuen würde, wenn ich dieses bedeutende Ereignis verpasste. Schließlich flog ich doch – wenn auch widerstrebend.

Die Hochzeit fand in Goa statt, und kaum war ich angekommen, da geschah etwas Unerwartetes. Ich fühlte mich ruhig und entspannt. Es wurde ein wunderschönes Fest. Alle strahlten vor Glück und Liebe zu meiner Schwester und ihrem jungen Ehemann. In letzter Zeit hatte ich mich, ehrlich gesagt, nicht mehr bemüht, optimistisch zu sein. Ich hatte mich in meiner Niedergeschlagenheit und meinem Selbstmitleid behaglich eingerichtet und mir auch von den Menschen um mich herum Mitleid gewünscht. In dieser neuen Umgebung jedoch fand eine willkommene Veränderung in mir statt. Zum ersten Mal seit Ewigkeiten war ich dankbar.

Ich werde die Hochzeit meiner Schwester niemals vergessen. Dieses Ereignis lehrte mich viel über die Arbeitsweise des Universums.

Nach meiner Rückkehr behielt ich meinen neuen Optimismus. Ich fühlte mich gut und bewahrte in dem Chaos um mich herum die Ruhe. Diese wiedergewonnene Stabilität motivierte mich, mein Studium zu Ende zu bringen.

Ich bastelte mir eine Art Zeugnis und trug die Gesamtnote ein, die ich mir für meinen Abschluss wünschte. Diese Note schaute ich mir jeden Tag mehrere Minuten lang an. Dabei tat ich so, als wäre diese beeindruckende Punktzahl tatsächlich meine Abschlussnote. Ich glaubte nicht richtig daran, dass ich sie erreichen würde; es war bloß ein Wunsch. Aber immerhin war ich überzeugt, dass ich gut abschneiden würde.

Ich beschloss, jeden Tag mehrere Stunden in die Bibliothek zu gehen. Ich leistete die gewaltige Extraarbeit, die nötig war, um das Gruppenprojekt abzuschließen, und noch mehr. In den Pausen sprach ich mit optimistischen Menschen, die mir halfen, mich selbst und meine Arbeit gut zu finden.

Einer dieser Menschen war die Frau, die meine große Liebe und meine Lebensgefährtin werden sollte.

Als die Prüfungen nahten und ich meine Arbeiten einreichen und meine Abschlusspräsentationen halten musste, war ich zuversichtlich, dass ich genug getan hatte. Es stellte sich heraus, dass ich nicht ganz an die Punktzahl herankam, die ich auf meiner Zeugnisattrappe eingetragen hatte, aber ich schaffte den Abschluss mit einem guten Ergebnis. In einer der schwierigsten Prüfungen in meinem Studiengang erhielt ich überraschenderweise sogar die Bestnote.

Ich wandte das Gesetz der Anziehung weiterhin an und erzielte damit manchmal auch ähnliche Resultate, aber insgesamt war der Erfolg eher wechselhaft. Mir wurde klar, dass ich etwas übersah. Als ich herausfand, was das war, stellte sich der Erfolg verlässlicher ein. Ich konnte auch bei anderen testen, ob meine neue Entdeckung nützlich für sie war – und tatsächlich, sie profitierten davon. Viele von ihnen schafften Dinge, die ihnen vorher unmöglich erschienen waren.

Nicht alles, was ich mir wünsche, verwirklicht sich. Aber normalerweise erweist sich das im Nachhinein als Segen. Allzu häufig war ich fest überzeugt, dass ich etwas wollte und brauchte, doch meine Gründe dafür waren falsch. Das wurde mir im Laufe der Jahre immer klarer – bis ich schließlich vor Erleichterung seufzte, wenn ich etwas nicht bekam, obwohl ich überzeugt gewesen war, dass es mir zustand. Oft kriegte ich nicht, was ich wollte, nur um dann später festzustellen, dass mir letztlich sogar noch mehr geschenkt worden war.

Das Gesetz der Schwingung

Das Universum reagiert auf deine Schwingungen.
Es gibt dir die Energie zurück, die du aussendest.

Das Gesetz der Schwingung steht über dem Gesetz der Anziehung. Es zu verstehen ist für ein großartigeres Leben unentbehrlich. Du kannst die Prinzipien dieses Gesetzes nutzen, um dein Leben zu verwandeln. Das heißt nicht, dass dir sämtliche Schwierigkeiten aus dem Weg geräumt werden, nein, aber du wirst Möglichkeiten finden, dein Leben in die Hand zu nehmen und so zu gestalten, dass es nicht nur von außen gut wirkt, sondern dass auch du selbst damit rundherum zufrieden bist.

Einer der frühesten Autoren der Selbsthilfeliteratur ist Napoleon Hill. Sein 1937 veröffentlichtes Buch *Think and Grow Rich*[2] war und ist ein Bestseller, und viele Unternehmergurus auf der ganzen Welt rühmen es als Leitfaden zum Erfolg. Bei seiner Recherche für das Buch hatte Hill 500 erfolgreiche Männer und Frauen interviewt, um herauszufinden, wie sie so erfolgreich geworden waren. Die Einsichten, die er auf diese Weise gesammelt hatte, veröffentlichte er in seinem Buch. Unter anderem zog er den Schluss: «Es sind die Vibrationen der Gedanken, die wir im Alltag durch Reize auffangen und erfassen, die uns zu den Menschen machen, die wir sind.»[3] Hill greift häufig das Konzept der Schwingungen oder Vibrationen auf – heute oft abgekürzt als «Vibes» –, und auch ich verwende es hier.

Viele Ausgaben später wurde der Begriff der Vibration jedoch größtenteils aus Hills Buch gestrichen. Vielleicht hatten die Verlage den Eindruck, dass die Welt noch nicht reif war für Hills Konzept. Noch heute stehen viele dem Gesetz der Schwingung kritisch gegenüber, weil die Wissenschaft es nicht überprüfen kann. Trotzdem hat es eine ganze Reihe von Versuchen gegeben, dieses Gesetz zu erklären. Zu denjenigen, die in vorderster Reihe die Kluft zwischen Wissenschaft und Spiritualität zu überbrücken suchen, gehören der Wissenschaftler Dr. Bruce Lipton und der Autor Gregg Braden.[4] Mit ihren Überlegungen, wie Gedanken unser Leben beeinflussen können, bestätigen sie das Konzept des Gesetzes der Schwingung, auch wenn manche es für nichts weiter als moderne Pseudowissenschaft halten.

Wie dem auch sei, ich für meinen Teil habe festgestellt, dass das Gesetz der Schwingung tief in mir Anklang findet und mir hilft, mein Leben zu verstehen – und ich weiß, dass es vielen anderen Menschen genauso geht. Ich habe erlebt, wie das Gesetz der Schwingung wunderbare Veränderungen bewirkte. Aber ob du nun daran glaubst oder ob du skeptisch bleibst, im Laufe meines Buches wirst du lernen, dass dieses Gesetz keinen Schaden anrichtet. Und manchmal sind Erfahrungen aus erster Hand wertvoller als alle Daten, die sich in Zahlen und Graphiken erfassen lassen.

Was besagt das Gesetz der Schwingung?

Als Erstes erinnern wir uns, dass jegliche Materie aus Atomen besteht und dass jedes Atom schwingt. Materie und Energie vibrieren also von Natur aus.

In der Schule hast du gelernt, dass Materie in drei Aggregatzuständen vorkommen kann, nämlich fest, flüssig und gasförmig. Die Schwingungsfrequenz auf der molekularen Ebene entscheidet darüber, in welchem Aggregatzustand sich die Materie befindet und wie sie uns erscheint.

Wir können die Realität nur so weit wahrnehmen, wie wir ihre Schwingungen aufnehmen können. Mit anderen Worten: Unsere Schwingungsfrequenzen müssen kompatibel sein. Das menschliche Ohr zum Beispiel kann Schallwellen nur hören, wenn sie mit einer Frequenz von 20 bis 20 000 Zyklen pro Sekunde schwingen. Das heißt aber nicht, dass es keine anderen Schallwellen gibt – wir können sie bloß nicht wahrnehmen. Die Schallwellen einer Hundepfeife haben eine so hohe Frequenz, dass sie für das menschliche Ohr nicht hörbar sind und daher für uns nicht existieren.

In seinem Buch *The Vibrational Universe (Das schwingende Universum)*[5] schreibt der spirituelle Autor Kenneth James Michael MacLean, dass die Wahrnehmungen unserer fünf Sinne sowie unsere Gedanken ebenso wie Materie und

Energie *ohne Ausnahme* aus Schwingungen bestehen. Er argumentiert, unsere Realität sei Wahrnehmung, die durch die Interpretation von Schwingungen definiert wird. Unser Universum ist eindeutig eine Tiefsee aus Schwingungsfrequenzen, und das heißt, dass die Realität ein schwingender Raum ist, der auf Veränderungen seiner Schwingungen reagiert.

Wenn das Universum auf unsere Gedanken, Worte, Gefühle und Handlungen reagiert – weil sie, MacLean zufolge, allesamt aus Schwingungen bestehen –, können wir daraus das Gesetz der Schwingung ableiten, aus dem folgt, dass wir unsere Realität selbst bestimmen können.

> *Ändere dein Denken, Empfinden,*
> *Sprechen und Handeln, und du beginnst,*
> *deine Welt zu verändern.*

Wenn du eine Idee in die Realität, oder besser, in deine Wahrnehmung bringen möchtest, brauchst du die dazu passende Schwingungsfrequenz. Je «realer» oder fassbarer dir etwas erscheint, desto ähnlicher ist deine Schwingungsfrequenz. Wenn du daher aufrichtig an etwas glaubst und so handelst, als wäre es bereits Wirklichkeit, erhöhst du die Chancen, dass es sich tatsächlich in deiner physischen Realität manifestiert.

Um die Realität, die du dir wünschst, zu erhalten oder wahrzunehmen, musst du mit dem, was du ersehnst, in Harmonie sein. Das heißt, dass unsere Gedanken, Gefühle, Worte und Handlungen auf das ausgerichtet sein müssen, was wir uns wünschen.

Das lässt sich am Beispiel von zwei Stimmgabeln darstellen, die auf die gleiche Frequenz geeicht sind. Wenn man eine der beiden durch Anschlagen zum Schwingen bringt, beginnt die andere auch zu schwingen, obwohl sie nicht berührt wurde. Die Schwingung der angeschlagenen Stimmgabel überträgt sich auf die unberührte, weil beide auf die gleiche Frequenz gestimmt sind: Sie schwingen in Harmonie miteinander. Sind ihre Schwingungsfrequenzen jedoch nicht gleich, dann werden die Schwingungen der angeschlagenen Stimmgabel nicht auf die andere Stimmgabel übertragen.

Ein weiteres Beispiel sind Radiosender: Wenn du einen bestimmten Sender hören möchtest, musst du dein Radio auf die Frequenz dieses Senders einstellen. Nur so kannst du ihn empfangen. Stellst du eine andere Frequenz ein, dann hörst du auch einen anderen Sender.

Wenn du mit etwas in Resonanz gehst, dich also auf die gleiche Schwingungsfrequenz einstellst, beginnst du, es in deine Realität hineinzulocken. Um zu erkennen, mit welcher Frequenz du gerade schwingst, betrachtest du am besten deine Emotionen, denn sie sind ein getreues Spiegelbild deiner Energie. Manchmal möchten wir gern glauben, unser Denken sei positiv oder unsere Handlungen seien gut, doch im tiefsten Innern wissen wir, dass das nicht stimmt. Wir machen uns etwas vor. Wenn wir achtsam unsere Gefühle wahrnehmen, können wir unsere tatsächliche Schwingung erkennen und daher richtig einschätzen, was wir im Leben gerade anziehen. Fühlen wir uns gut, dann haben wir auch gute Gedanken und werden auf positive Weise aktiv – und umgekehrt.

Good Vibes Only

Gute Schwingungen sind nichts weiter als höhere Schwingungsfrequenzen.

Die Ausdrücke *gut* und *positiv* werden gleichermaßen verwendet, um etwas Erwünschtes zu beschreiben. Wenn du zum Beispiel ein Ereignis aus der Vergangenheit als gute oder positive Erfahrung bezeichnest, heißt das, dass es so verlief, wie du es dir erhofft hattest – oder zumindest nicht so schlimm, wie es hätte sein können.

Im Grunde wünschst du dir, was du dir wünschst, weil es dir Zufriedenheit schenkt. Alles, was wir im Leben begehren, soll uns in angenehme emotionale Zustände versetzen und helfen, Unbehagen zu vermeiden. Die meisten von uns glauben, dass die Erfüllung ihrer Wünsche sie glücklich machen wird.

Da Gefühle zu den machtvollsten Schwingungen gehören, die du kontrollieren kannst, und wir im Grunde nach positiven Emotionen suchen, können wir folgern, dass wir im Leben danach streben, gute Schwingungen zu erfahren. Überlege einmal: Wenn du dich gut fühlst, erscheint dir dein Leben gut. Wenn du ständig positive Schwingungen erleben könntest, würdest du dein Leben stets positiv sehen.

Der Schweizer Arzt und Naturforscher Dr. Hans Jenny, Mitglied der Anthroposophischen Gesellschaft Rudolf Steiners, hat den Begriff Kymatik geprägt, womit die Sichtbarmachung von Klängen und Wellen gemeint ist. In einem seiner bekanntesten Experimente zeigte er, welchen Effekt es hat, wenn man eine dünne Metallplatte mit Sand bestreut und sie in Schwingung versetzt, indem man mit einem Geigenbogen über eine der Kanten streicht. Je nach Schwingungsfrequenz bilden sich im Sand unterschiedliche Muster, die nach ihrem Entdecker Chladni als «Chladnische Klangfiguren» bezeichnet werden. Schnellere Schwingungen, also höhere Schwingungsfrequenzen, erzeugen schöne, komplexe Muster. Die Formen, die bei niedrigeren Schwingungsfrequenzen entstehen, sind weniger reizvoll. Das heißt also, dass es bei höheren Schwingungsfrequenzen zu erfreulicheren Effekten kommt.

Wir sind bestrebt, im Leben so viel Liebe und Freude wie möglich zu empfinden. Liebe und Freude haben von allen Gefühlen die höchsten Schwingungsfrequenzen. Sie helfen uns, mehr von dem zu verwirklichen, was wir uns wünschen – und verhelfen uns damit wiederum zu noch mehr guten Schwingungen. Im Gegensatz dazu haben Gefühle wie Hass, Wut und Verzweiflung sehr niedrige Schwingungsfrequenzen. Folglich ziehen sie mehr von dem an, was wir eigentlich von uns fernhalten wollen.

Das Gesetz der Schwingung besagt, dass wir gute Schwingungen aussenden müssen, um gute Schwingungen zu empfangen. Wir sind also zugleich Sender und Empfänger von Schwingungen, und die Schwingungen, die wir abgeben,

Die Gefühle, die wir aussenden,
werden uns in emotional ähnlich gefärbten
Erlebnissen zurückgeschickt.

ziehen immer das an, was auf ähnlicher Frequenz schwingt wie wir. Sendest du also Freude aus, dann erhältst du noch mehr Anlässe, dich zu freuen. Ein häufiger Irrtum ist allerdings, dass man erst zufrieden sein wird, wenn man bekommen hat, was man sich wünscht. In Wahrheit kannst du bereits genau in diesem Moment zufrieden sein.

Letztlich gehen Selbstliebe und die Erhöhung der eigenen Schwingungsfrequenz Hand in Hand. Wenn du dich bemühst, deine Schwingungsfrequenz zu erhöhen, erweist du dir selbst die Liebe und Fürsorge, die du verdienst. Du fühlst dich gut und ziehst Gutes an. Indem du positiv handelst und auch deine innere Haltung entsprechend veränderst, kannst du größere Ziele verwirklichen. Wenn du dich selbst liebst, wirst du auch ein Leben führen, das du liebst.

ZWEITER TEIL

POSITIVE
LEBENSGEWOHNHEITEN

Einstieg

Höhere Schwingungszustände helfen dir,
dich gut zu fühlen, was wiederum bedeutet,
dass du in deinem Leben
mehr Gutes verwirklichen kannst.

Dein Ziel ist es, mit einer höheren Frequenz zu schwingen, denn dadurch wirst du dich besser fühlen. Es gibt viele Lebensgewohnheiten, die dir helfen, eine höhere Schwingungsfrequenz zu erreichen und so liebevoller und fröhlicher zu werden.

Du kannst deinen emotionalen Zustand durch alle möglichen Aktivitäten, die deine Schwingungsfrequenz steigern, verbessern. Einige davon wirken dauerhaft, während andere dir nur für Momente ein gutes Gefühl geben.

Ein Beispiel: Du bist traurig und aufgebracht, weil du dich mit einem Freund zerstritten hast. Diese emotionale Verfassung kannst du möglicherweise ändern, indem du mit anderen Freunden Spaß hast. Vielleicht kannst du deine Schwingungsfrequenz auch durch körperliche Nähe zu einem geliebten Menschen erhöhen, durch Lachen, schöne Musik, freundliche Gesten, tiefen Schlaf, Bewegung oder eine andere Aktivität, die dir Freude macht. Anschließend jedoch wirst du vielleicht wieder mit deinem Kummer konfrontiert. An deiner inneren Verfassung hat sich nichts geändert, du bist dem Problem nur vorübergehend ausgewichen.

Eine Alternative dazu ist die Meditation. Im Laufe der Zeit kann sie die Arbeitsweise des Gehirns vollständig verändern. Meditation und eine genaue Betrachtung der Emotionen mit langsamen Schwingungen können dich dabei unterstützen, deine quälenden Gefühle in schneller schwingende Emotionen umzuwandeln. Meditation kann dir also helfen, das Zerwürfnis mit deinem Freund in positiverem Licht zu sehen. (Wir werden uns noch ausführlicher mit dem Meditieren befassen.)

Da alles Energie ist, könnte man sagen, dass alles, womit du dich beschäftigst, auf irgendeine Weise deine Schwingungen beeinflusst. Und gleichzeitig sind neue Aktivitäten und die positive Veränderung der Denkweise auch Elemente der Selbstliebe, die dir helfen, der beste – und glücklichste – Mensch zu werden, der du sein kannst.

Es gibt auch neue Tätigkeiten, die uns anfangs scheinbar nur kurzzeitig helfen, uns besser zu fühlen. Wenn wir sie jedoch über einen längeren Zeitraum hinweg regelmäßig ausüben, werden sie zu Gewohnheiten, die uns dauerhaft positive Ergebnisse bescheren.

Umgib dich mit positiven Menschen

Umgib dich mit Menschen, deren
Schwingungsfrequenz höher ist als deine
eigene und denen es bessergeht als dir.
Energie ist ansteckend.

Wenn es dir selbst nicht so richtig gutgeht, suche Menschen auf, die sich wohlfühlen. Ihre Schwingungsfrequenz ist höher als deine, und möglicherweise kannst du von ihrer Energie etwas aufnehmen. Hast du schon mal erlebt, dass du jemanden kennenlernst und gleich das Gefühl hast, mit ihr oder ihm stimmt irgendwas nicht? Du kannst es nicht richtig festmachen, aber du spürst einfach eine unangenehme Schwingung. Normalerweise findest du dann später heraus, dass es für dein Gefühl einen guten Grund gab. Energie lügt nicht.

Wahrscheinlich hast du auch schon das Gegenteil erlebt. Manche Menschen strahlen eine positive Energie aus, mit der sie die anderen um sich herum anstecken. Wie oft konnte ich meine Stimmung verbessern, einfach indem ich mit fröhlichen Leuten zusammen war.

Positive Menschen können uns auch deshalb Kraft geben, weil sie unsere Probleme aus einer anderen Perspektive betrachten. Mit ihrer hohen Schwingungsfrequenz sehen sie das, was wir gerade durchmachen, meistens optimistischer. Sie werden sich bemühen, das Positive in deiner Situation zu erkennen, und dir helfen, deinen Fokus so zu verändern, dass sich auch deine Schwingungsfrequenz erhöht.

Gib dir also das Versprechen, tiefgehende und dauerhafte Beziehungen mit positiven Menschen aufzubauen. Wenn du mehr Zeit mit Leuten verbringst, die dein Leben bereichern und deine Stimmung heben, wirst du nach und nach ihre ermutigenden Denkmuster übernehmen und ihnen ihre Schwingungen zurückspiegeln.

Das Gesetz der Schwingung besagt, dass wir Menschen anziehen, die mit der gleichen Frequenz schwingen wie wir selbst. Wenn wir also durch Kontakte mit anderen regelmäßig positivere Emotionen erleben können, ziehen wir weitere positive Menschen an und verstärken auf diese Weise die guten Vibes um uns herum.

Verändere deine Körpersprache

Es ist schwer zu lächeln, wenn gerade alles schiefläuft. Im Jahr 2003 jedoch zeigte eine Untersuchung der Psychologen Simone Schnall und James D. Laird, dass man mit einem gekünstelten Lächeln das Gehirn austricksen kann. Es denkt dann nämlich, man wäre glücklich, und setzt Glückshormone (Endorphine) frei.[6]

Anfangs kommst du dir dabei vielleicht etwas blöd vor. Aber wenn es dir allzu befremdlich erscheint, ohne Grund zu lächeln, dann suche dir einen Grund. Du könntest lächeln, weil du dir vorstellst, dass dein Lächeln einen anderen Menschen fröhlicher macht. Vielleicht lächelt er sogar zurück und gibt dir damit einen echten Grund, weiter zu lächeln.

Der Körper kann mit seinen physiologischen Prozessen unsere Gedanken und Gefühle beeinflussen. Indem wir also unseren physischen Zustand verändern, können wir auch unsere geistige und emotionale Verfassung verändern. Vielleicht überrascht es dich, dass wir die große Mehrzahl unserer Botschaften nonverbal weitergeben, also nicht über unsere Worte, sondern über den Gesichtsausdruck, die Gesten oder die Körperhaltung während des Sprechens. Daher ist es wichtig, darüber nachzudenken, welche Botschaften wir durch unsere Körpersprache übermitteln.

Wenn ich dich bitten würde, mir zu zeigen, wie jemand aussieht, der deprimiert ist, wüsstest du vermutlich sofort, wie du ihn darstellen kannst: Du würdest die Schultern hängen lassen, den Kopf senken und düster vor dich hin starren. Einen wütenden Menschen könntest du ebenfalls mühelos imitieren.

Aber jetzt stell dir vor, wie ein Mensch aussieht, der glücklich ist und sich seines Lebens freut. Was macht er für ein Gesicht? Wie steht er? Bewegt er sich auf bestimmte Weise? Wo könnte er seine Hände haben? Gestikuliert er? Wie klingt seine Stimme? Wie schnell oder wie langsam spricht er?

Wenn du dich wie jemand verhalten kannst, dem es gut geht, verändert sich dein innerer Zustand, und deine Schwingungsfrequenz steigt.

Vielleicht hast du Bedenken und hältst das für eine ungesunde Methode, deine Schwingungsfrequenz zu erhöhen. Aber die Annahme, dass etwas, das man lange genug vortäuscht, tatsächlich Realität wird, bewahrheitet sich immer wieder. Von Muhammad Ali stammt zum Beispiel der berühmte Satz: «Um ein großer Champion zu sein, musst du fest daran glauben, dass du der Beste bist. Wenn du's nicht bist, dann tu so, als ob du's wärst.» Nimm Alis Kampf gegen Sonny Liston: Vor dem Kampf war Ali ein Außenseiter, aber er entschied sich, so zu tun, als würde er Liston fertigmachen – er prahlte vor Fans und spuckte große Töne. Im Ring schlug er seinen Gegner dann tatsächlich.

Die Sozialpsychologin Amy Cuddy ist für ihre Arbeiten über nonverbale Kommunikation bekannt. Sie fand heraus, dass unsere Körpersprache nicht nur Einfluss auf das Bild hat, das andere sich von uns machen, sondern auch auf unser Selbstbild. Sie ist Mitautorin einer Studie, in der behauptet wird, dass drei bestimmte, mit Macht verknüpfte Körperhaltungen, wenn man sie täglich zwei Minuten lang einnimmt, einen um 20 Prozent vermehrten Ausstoß des männlichen Sexualhormons Testosteron und einen 25-prozentigen Rückgang des Stresshormons Cortisol bewirken.[7] Dieses sogenannte «Power Posing» ist demnach eine schnelle, einfache Methode, um sich kraftvoller zu fühlen.

Manche Leute bekommen das in den falschen Hals und täuschen eine besondere Stärke oder Begabung vor, um Eindruck auf andere zu machen und sich dadurch selbst besser zu fühlen. Das ist nicht ratsam. Doch wenn du einfach auf eine bestimmte Weise handelst, um dein Selbstvertrauen zu stärken und Zuversicht zu gewinnen, dass du auf dem richtigen Weg bist, wird es zu einer nützlichen Technik. Das eingebildete Selbstvertrauen verwandelt sich allmählich in echtes Selbstvertrauen, und je mehr deine Schwingungen deinem neugewonnenen Selbstvertrauen entsprechen, desto echter wird es werden.

Gönne dir Auszeiten

Du solltest nicht unterschätzen, wie wichtig es ist, sich Zeit zum Entspannen zu nehmen. Manchmal sind wir so mit unserem Leben beschäftigt und in die Vorgänge um uns herum eingebunden, dass wir uns überfordert und gestresst fühlen.

Die einfache Lösung besteht darin, abzuschalten und von den Stressfaktoren Abstand zu halten. Fürchte dich nicht davor, eine Zeitlang mit dir allein zu sein. Meiner Erfahrung nach kann man manchmal unter etwas leiden, das ich als «Menschenstress» bezeichne. Wenn du eher introvertiert bist, hast du dieses Gefühl vielleicht häufiger. Dir ist, als würden alle an dir zerren, und es wird dir einfach zu viel.

Wenn du mit Partnerin oder Partner, Freunden oder Familie zusammenlebst, erscheint es dir vielleicht ein bisschen herzlos, dir einfach eine Auszeit zu nehmen. Aber es ist ja nicht so, als hättest du deine Mitbewohner nicht gern oder sogar satt. Nein, du brauchst einfach eine Pause, eine Möglichkeit, Luft zu holen und deine Batterien wieder aufzuladen. Du musst einfach eine Weile allein sein. Das ist vollkommen akzeptabel und heißt nicht, dass du sie weniger liebhast.

Ebenso können die Nachrichtenflut und die sozialen

Medien leicht eine Überreizung auslösen, sodass man sich möglicherweise auch davon mal eine Weile ausruhen muss.

Woran erkennst du, dass du eine Pause brauchst?

Hier ist ein Beispiel: Wenn jemand sich bemüht, etwas Nettes für dich zu tun, du aber das Gefühl hast, dass er sich zu viel Mühe gibt oder sich dir aufdrängt, könnte das ein Zeichen für Menschenstress sein. Ja, du hast vielleicht ein schlechtes Gewissen, weil du um die guten Absichten dieses Freundes weißt. Aber du wünschst dir nur noch, dass er dich in Ruhe lässt.

Das Wort *engentado* kommt aus dem mexikanischen Spanisch und beschreibt genau dieses Gefühl: Man möchte allein sein, nachdem man eine Zeitlang mit anderen Menschen zusammen war.

Du solltest dir zwar nicht von einer Laune deine Umgangsformen diktieren lassen, aber du brauchst auch kein schlechtes Gewissen zu haben, wenn du dich eine Weile zurückziehst. Das tut nicht nur dir gut, sondern auch den anderen. Je länger du unter Menschenstress leidest, ohne deine Batterie aufzuladen, desto größer ist nämlich die Wahrscheinlichkeit, dass du die Schwingungsfrequenzen anderer senkst.

Auch Zeit in der Natur zu verbringen kann dir viel Kraft geben. Heutzutage wird es immer schwieriger, ohne Technologie durchs Leben zu kommen. Doch dich draußen im Freien aufzuhalten kann dir helfen, deine Reserven wieder aufzufüllen und dich zu regenerieren. In einer 1991 veröffentlichten Untersuchung wurde festgestellt, dass natürliche Umgebungen die Selbstheilungskräfte stärken, weil sie Menschen in einen positiven emotionalen Zustand versetzen und das psychische Wohlbefinden fördern.[8]

Du brauchst es nicht kompliziert zu machen. Du könntest spazieren gehen, im Garten arbeiten, dich unter einen Baum setzen oder in die Sterne hinaufschauen. Wenn du bei gutem Wetter nach draußen gehst, kann das Sonnenlicht nicht nur zur Erhöhung deines Vitamin-D-Spiegels beitragen, sondern auch die Produktion des Glückshormons Serotonin anregen, das als natürlicher Stimmungsaufheller wirkt.

Manchmal musst du dich der Welt
für einen Moment entziehen,
damit du Zeit für einen Neustart hast.

Suche nach Inspiration

Inspiration motiviert und stimmt optimistisch. Heutzutage gibt es zahlreiche Inspirationsquellen, aus denen wir schöpfen können: Ratgeberbücher, Zeitschriften oder motivierende Romane wie *Der Alchimist* von Paulo Coelho können sich hervorragend dafür eignen, ebenso wie Podcasts oder andere digitale Medien. Auch die Kraft eines großen motivierenden Films sollte man nicht unterschätzen. Ich persönlich finde «Das Streben nach Glück» mit Will Smith in der Hauptrolle sehr aufbauend.

Ich erinnere mich an eine Phase in meinem Leben, in der ich einfach nicht mehr weiterwusste. Ich hatte gerade meinen Job gekündigt, um eine eigene Firma zu gründen, die T-Shirts mit inspirierenden Sprüchen anbot. Nachdem ich mein ganzes Geld investiert hatte, verkauften sich die T-Shirts zu meiner Bestürzung nicht so gut, wie ich gehofft hatte. Ich war davon ausgegangen, dass sie innerhalb von wenigen Tagen ausverkauft sein würden. Ich hatte alle Lehrbücher über Firmengründung gelesen und viele Stunden auf Modeblogs verbracht. Meiner Ansicht nach hatte ich mir das nötige Wissen angeeignet, um erfolgreich eine Firma zu leiten und etwas Innovatives in die Modewelt einzuführen. Die Realität jedoch zeigte mir etwas anderes.

Allmählich verlor ich den Glauben an mich. Ich fragte mich, ob ich in meinem Leben die richtige Richtung eingeschlagen hatte. Hinzu kam, dass meine Mutter miterlebte, wie ich kämpfte. Sie empfahl mir, wieder einen Job zu suchen, um Geld zu verdienen, nicht nur für meinen eigenen Lebensunterhalt, sondern auch zur Unterstützung meiner Familie. Ich stand unter ungeheurem Druck.

Wenn man anfängt, an seinen Fähigkeiten zu zweifeln, kann man ganz schnell in einem Jammertal versinken. Die Schwingungsfrequenz sackt ab, und auf die Dauer können die schlechten Vibes sogar gesundheitsschädlich sein.

Ich wusste, dass ich etwas tun musste. Also hörte ich mir verschiedene Audiobooks über persönliche Entwicklung an, suchte mir noch mehr Ratgeberbücher, streamte Onlinevideos und las Artikel, Zitate und Blogs. Ich sprach sogar mit Unternehmern, mit denen ich mich in den sozialen Medien angefreundet hatte. So erfuhr ich von den Nöten anderer und wie sie trotz aller Schwierigkeiten damit fertiggeworden waren. Allmählich fühlte ich mich wieder inspiriert, und mein Selbstvertrauen kehrte zurück. Die Geschichten der anderen zeigten mir, dass mein Scheitern nicht endgültig war. Alle, die etwas Großartiges geleistet haben, waren irgendwann mit großen Herausforderungen oder Scheitern konfrontiert. Aber endgültig scheiterst du nur, wenn du aufgibst.

Zugegeben, mit meiner T-Shirt-Firma hatte ich keinen Erfolg. Aber der Misserfolg löste Veränderungen in mir aus, die mir sehr zugutekamen. Inspiration spornt an und bewirkt, dass du auf deinem Weg und mit den Möglichkeiten, die dein Leben dir bietet, zufrieden bist.

Hüte dich vor Klatsch und Drama

Dramen gehören ins Fernsehen,
nicht ins reale Leben.
Übernimm keine Rolle in einem fremden Film,
in dem jemand anders der einzige Star ist.

Irgendwann ertappen wir alle uns dabei, wie wir über andere herziehen, Gerüchte verbreiten oder Privates ausplaudern. Manchmal merkt man nicht einmal, was man da gerade tut. Das Schlimmste daran ist, dass es den meisten sogar Spaß macht – ihnen fällt nicht auf, dass sie mit ihrem vermeintlich harmlosen Gerede Urteile fällen. Sie genießen einfach das Prickeln, wenn sie pikante Gerüchte über ihre Mitmenschen hören und weitergeben und wenn die anderen darauf reagieren. Genau das macht Klatsch und Tratsch jedoch zu einer prima Methode, um deine Schwingungsfrequenz herabzusetzen.

Unabhängig davon nährt sich das Ego gern vom Gerede über andere. Wir ziehen über unsere Mitmenschen her, um uns selbst gut und anderen überlegen zu fühlen. Dabei fällen wir wie gesagt oft Urteile, und die meisten Urteile wurzeln in Hass. Doch wer hasst, schwingt mit einer sehr niedrigen Frequenz, was wiederum dazu führt, dass er unangenehme Erfahrungen in sein Leben einlädt.

Wie wir bereits festgestellt haben, haben jeder Gedanke und jedes Wort machtvolle Schwingungen. Wenn wir negativ über andere sprechen, schicken wir damit negative Energie ins Universum. Das senkt unsere eigene Schwingungsfrequenz, und folglich ziehen wir dann toxische Ereignisse an, die unsere Stimmung und damit unsere Vibes weiter verschlechtern. Im Ayurveda, der uralten indischen Heilkunde, heißt es, Klatsch zu verbreiten wirke sich negativ auf einige unserer Energiezentren, die sogenannten Chakras, aus. Sie können geschädigt werden, was uns dann hindert, höhere Schwingungszustände zu erreichen.

Nachrichtensender und Zeitungen profitieren von Meldungen über persönliche Unglücke und Missgeschicke. Für diese Medien ist es ein Glück, dass manche Leute auf solche Berichte erpicht sind. Daraus resultiert, dass es gesellschaftsfähig ist, über andere zu reden. Gleichzeitig jedoch ist uns allen klar, dass es uns überhaupt nicht gefiele, wenn wir selbst zum Objekt von Klatsch und Tratsch würden.

Halte dich also entweder von Gerede über andere fern oder aber bemühe dich, solchen Unterhaltungen eine positive Wendung zu geben. Du wirst bemerken, dass die Leute, die ihre Zeit damit verbringen, über andere zu lästern, meistens auch diejenigen sind, die sich oft beklagen oder sich in Selbstmitleid suhlen. Wenn du solche Gewohnheiten übernimmst, wirst auch du bald mehr und mehr vom Leben enttäuscht sein.

In ähnlicher Weise können Stress und Angst verstärkt werden, wenn wir uns in überflüssige Dramen verstricken. Wir geraten dadurch in schlechtere Stimmung, was, wie du inzwischen weißt, unerwünschte Auswirkungen auf das Leben hat. Warum solltest du deine Freude aufs Spiel setzen?

Ich habe gelernt, Dramen um jeden Preis zu vermeiden, denn sie tun mir nicht gut. Einmal bin ich einem Mann begegnet, der schnell rotsah. Er versuchte, mit mir über einen Punkt zu diskutieren, den ich zur Sprache gebracht hatte. Paradoxerweise ging es darum, dass ich fand, man solle sich von Streitigkeiten fernhalten, weil sie den inneren Frieden stören können. Dieser Mann war anderer Meinung. Als ich ihm freundlich sagte, dass ich unsere unterschiedlichen Meinungen respektierte und dass wir es dabei belassen sollten, wurde er wütend. Hätte ich das Gefühl gehabt, dass er sich ernsthaft für meine Sichtweise interessierte, dann hätte ich sie ihm gern erläutert und mir auch seinen Standpunkt angehört. Er wollte jedoch nur streiten, mir beweisen, dass ich mich irrte, und mich runterziehen. Seine Ohren waren verschlossen und sein Mund war offen: Er war nicht bereit zu lernen, ihm ging es nur ums Rechthaben. Unsere Überzeugungen waren unterschiedlich, und das konnte er nicht tolerieren. Aus seiner Sicht verbreitete ich falsche Informationen und schuf mit meinem Standpunkt weiteres Leid in der Welt. In seiner Wut beschimpfte er mich persönlich, insbesondere, weil ich seine Aufforderung zum Kampf nicht annehmen wollte. Ich beobachtete ihn einfach still und wartete auf den Moment, in dem ich mich entfernen konnte.

Ich hatte nicht den Eindruck, dass er sich tatsächlich für das Wohl anderer Menschen interessierte oder das Leiden in der Welt lindern wollte. Sein aggressives Verhalten stand im Widerspruch zu seinen Behauptungen. Er musste einfach beweisen, dass seine Sichtweise die einzig richtige war. Meine Überzeugungen erschütterten seine Wahrheit, dass wir uns immer wehren sollten, und ohne diese Wahrheit war seine Identität bedroht.

Das ist das Werk des Egos. Dein Ego ist das Selbstbild, das du dir in Gedanken geschaffen hast. Es ist deine soziale Maske, die dauernd bestätigt werden muss, weil das Ego in der ständigen Angst lebt, dass es seine Identität verlieren könnte. Wenn du aufgebracht bist, weil jemand dich nicht mag, ist dein Ego aktiv: Es fühlt sich nur dann in seiner Existenz bestätigt, wenn es von anderen Anerkennung erhält. Lehnen die anderen es aber ab, dann bist du auch selbst nicht mehr mit dir zufrieden.

Das Ego möchte sich immer wichtig fühlen
und bewundert werden. Es strebt
nach sofortiger Belohnung und möchte sich
mächtiger fühlen als andere.

Das ist der Grund, warum viele Leute Dinge kaufen, die sie nicht brauchen: Sie wollen andere beeindrucken, obwohl sie ihnen eigentlich gleichgültig sind. Es ist auch der Grund, warum wir den Erfolg anderer mit Bitterkeit betrachten. Es ist der Grund für Gier und das ständige Bestreben, andere zu übertrumpfen. Es hält uns davon ab, liebevoll und verständnisvoll zu handeln.

Leider identifizieren sich viele von uns ihr ganzes Leben lang mit einem bestimmten Selbstbild, das sie aufrechterhalten und schützen müssen. Die Angst vor Identitätsverlust kann dazu führen, dass wir, wie der Mann aus meinem Beispiel, schnell in Abwehrhaltung und dann zum Angriff übergehen.

Diesen vom Ego gesteuerten Mechanismus können wir häufig beobachten. Viele Menschen stellen Fragen nicht aus echtem Wissensdurst, sondern einfach, weil sie anderen deren vermeintlichen Irrtum unter die Nase reiben wollen. Die anderen sollen sich ihren Überzeugungen anschließen, nicht unbedingt, weil ihnen das Wohlergehen ihrer Mitmenschen am Herzen liegt, sondern weil sie Angst haben, dass sie selbst sich irren könnten und dann nicht mehr wüssten, wer sie eigentlich sind. Es gibt viele Menschen auf der Welt, die leicht aufbrausen und unter solchen toxischen Bedingungen aufzublühen scheinen.

Ich bemühe mich, unvoreingenommen zu bleiben und mir die Sichtweisen anderer anzuhören. Allerdings habe ich auch gelernt, keine Zeit auf Menschen zu verschwenden, die sich nicht dafür interessieren, was ich zu sagen habe oder warum ich es sage. Du musst darauf achten, dass du dich nicht unfreiwillig an den inneren Kämpfen anderer beteiligst.

Probleme zu diskutieren und Informationen weiterzugeben ist absolut in Ordnung, wenn man es nicht mit dem Wunsch tut, andere herabzusetzen und dadurch seine eigene Überlegenheit zu beweisen. Auf diese Weise entsteht nämlich ein falsches Selbstgefühl, was wiederum die Schwingungsfrequenz verringert. Du kannst mit deiner Zeit etwas Sinnvolleres anfangen, als über andere zu lästern oder in ihren Dramen mitzuspielen. Konzentriere dich stattdessen auf dein eigenes Leben. Zeit ist kostbar – nutze sie weise, indem du etwas Konstruktives tust, das dein Leben großartiger macht.

Achte auf deine Ernährung

Man ist, was man isst.

Alles, was du isst und trinkst, ist wichtig, denn es beeinflusst deine Schwingungen und deine Realität. Denk mal darüber nach: Wie kannst du dich gut fühlen, wenn du kein gutes Essen und keine guten Getränke zu dir nimmst?

Nahrungsmittel, die uns schläfrig und träge machen, schwingen mit niedrigen Frequenzen. Ihr Verzehr führt dazu, dass auch unsere eigene Schwingungsfrequenz sich ändert. Häufig handelt es sich dabei um Junkfood – das meistens leider wunderbar schmeckt. Daher neigen viele von uns dazu, sich mit dem minderwertigen Zeug die Bäuche vollzuschlagen. Das dämpft jedoch nicht nur die Stimmung, sondern führt auch zu Übergewicht und einer höheren Anfälligkeit für Krankheiten.

Im Jahr 1949 veröffentlichte der Franzose André Simoneton, ein Experte für Elektromagnetismus, seine Forschungsergebnisse über die elektromagnetischen Wellen von Nahrungsmitteln. Er hatte entdeckt, dass jedes Lebensmittel nicht nur eine bestimmte Anzahl von Kalorien besitzt (chemische Energie), sondern auch eine elektromagnetische Kraft, die sich als Schwingung äußert.[9]

Simoneton kam zu der Erkenntnis, dass Menschen, um gesund zu bleiben, eine Schwingung von 6500 Ångström aufrechterhalten müssen. (Das Ångström ist eine Längeneinheit, wobei ein Ångström dem zehnmillionsten Teil eines Millimeters entspricht.)

Er teilte die Lebensmittel auf einer Skala von 0 bis 10 000 Ångström in vier Kategorien ein.

Zur ersten Kategorie zählen Lebensmittel mit hohen Schwingungsfrequenzen, darunter frisches Obst und rohes Gemüse, Vollkornprodukte, Oliven, Mandeln, Haselnüsse, Sonnenblumenkerne, Soja und Kokosnuss.

In der zweiten Kategorie finden wir Nahrungsmittel mit weniger hohen Schwingungsfrequenzen, wie gekochtes Gemüse, Milch, Butter, Eier, Honig, gekochten Fisch, Erdnussöl, Zuckerrohr und Wein.

Die dritte Kategorie enthält Lebensmittel mit sehr niedrigen Schwingungsfrequenzen, darunter gekochtes Fleisch, Wurst, Kaffee und Tee, Schokolade, Konfitüren, Schmelzkäse und weißes Brot.

Die Nahrungsmittel in der vierten und letzten Kategorie zeigten praktisch gar keine elektromagnetischen Schwingungen. Dazu zählen Margarine, Konserven, Spirituosen, raffinierter Zucker und gebleichtes Mehl.

Simonetons Forschungen liefern uns Erkenntnisse darüber, welche Nahrungsmittel unsere Schwingungen günstig beeinflussen und welche wir meiden sollten.

Außerdem gilt allgemein die Regel, dass qualitativ hochwertige Produkte aus biologischem Anbau, die so gewachsen sind, wie die Natur es vorgesehen hat, unsere Vitalität besser unterstützen als konventionell produzierte Lebensmittel. Bioprodukte können zwar teuer sein, aber die höheren Ausgaben sind vielleicht ein kleineres Opfer, als wenn man seine Gesundheit ruiniert, weil man ständig ungesundes Essen zu sich nimmt.

Daneben sollten wir auch die Bedeutung des Wassers berücksichtigen. Der menschliche Körper besteht etwa zu 60 bis 70 Prozent aus Wasser, und Wasser ist für die Körperfunktionen unverzichtbar. Da es unter anderem Giftstoffe aus dem Körper spült, sorgt es dafür, dass du mit einer höheren Frequenz schwingst. Wenn dein Wasserhaushalt nicht ausgeglichen ist, kann das im Körper negative Reaktionen auslösen. Du spürst es daran, dass deine Konzentrationsfähigkeit nachlässt, dir schwindlig wird und du im Extremfall sogar ohnmächtig wirst.

Simoneton zeigte mit seinen Untersuchungen, dass Spirituosen äußerst langsam schwingen. Regelmäßiger Konsum von großen Mengen Alkohol kann folglich sehr schädlich sein und durch die Schädigung der Leber sogar zum Tod führen. Zu viel Alkohol führt außerdem zu einer getrübten Wahrnehmung, die wiederum zur Folge haben kann, dass du dich anders verhältst, als du es normalerweise tun würdest – und womöglich Entscheidungen triffst, die du später bereust. Alkohol mag zwar für ein paar angenehme Momente sorgen, aber du darfst ihn nur sehr mäßig konsumieren.

Als Getränk solltest du hauptsächlich frisches, gefiltertes Wasser zu dir nehmen.

Sei dankbar

Bevor du dich über die Schule beklagst,
denke daran, dass manche Menschen gar nicht
zur Schule gehen können.

Bevor du dich beklagst, dass du zu dick wirst,
denke daran,
dass manche Menschen nichts zu essen haben.

Bevor du dich über deinen Job beklagst,
denke daran,
dass manche Menschen gar kein Geld
verdienen können.

Bevor du dich über den Hausputz beklagst,
denke daran,
dass manche Menschen kein Dach über dem
Kopf haben.

Bevor du dich übers Abwaschen beklagst,
denke daran,
dass manche Menschen nicht einmal Zugang zu
sauberem Wasser haben.

Bevor du dich mit Hilfe deines Smartphones in
den sozialen Medien über all das beklagst,
mache dir klar, wie gut du es hast,
und sei eine Minute lang dankbar.

Dankbarkeit gehört zu den einfachsten, aber kraftvollsten Empfindungen, die du dir angewöhnen kannst. Indem du dir jeden Tag aufzählst, wofür du dankbar sein kannst, konditionierst du dich darauf, in allem um dich herum stets das Gute zu suchen. Schon bald wirst du unbewusst beginnen, die positiven Aspekte im Leben zu sehen, und es wird dir besser gehen.

Während man dankbar ist, kann man sich nicht schlecht fühlen. Doch obwohl es so einfach klingt, dankbar zu sein, haben die meisten Menschen Probleme damit. Sich auf Belastungen zu konzentrieren ist viel leichter, als den Fokus auf das zu richten, was uns geschenkt wird. Dem, was man nicht hat, widmet man mehr Aufmerksamkeit als dem, was man hat.

Ich habe mich früher einmal mit den erfolgreichsten Menschen der Welt beschäftigt, und ein Satz ist mir besonders im Gedächtnis geblieben: «Größe beginnt mit Dankbarkeit.» Damals habe ich nicht viel darüber nachgedacht, aber als ich älter wurde, verstand ich allmählich seinen Wert. Ich habe erkannt, dass man ohne Dankbarkeit keine Freude empfinden kann. Dankbar zu sein ist ein wichtiges Element des Glücks.

Mit Dankbarkeit verändern wir nicht nur unseren Schwingungszustand so, dass wir das Gute stärker anziehen, sondern wir lernen auch, die Dinge in Relation zu sehen. Häufig beneiden wir andere, doch die meisten von uns sehen nur selten, dass sie selbst etwas haben, was andere sich vielleicht wünschen. Außerdem neigen wir dazu, uns mit Menschen zu vergleichen, die in unseren Augen mehr Glück haben als wir, nicht aber mit denjenigen, denen weniger Glück beschieden ist. Denke nur an die vielen Menschen, die in Ländern, in denen Krieg herrscht, Tag für Tag ums Überleben kämpfen müssen. Uns jedoch bleiben solche Probleme und viele andere, von denen wir in den Nachrichten hören, erspart.

Es ist leicht, «danke» zu sagen, ohne es wirklich zu meinen. Doch wenn du Dankbarkeit äußern möchtest, ist es wichtig, dass du sie auch spürst. Am Beispiel meines Coaching-Klienten Will möchte ich zeigen, wie du wahre Dankbarkeit erreichen kannst.

Nachdem Will begonnen hatte, eine Liste all seiner Probleme herunterzuspulen, bat ich ihn, mir zu sagen, wofür er dankbar war. Er antwortete, ihm falle nichts ein.

Ich wusste, dass sein Auto ihm viel bedeutete, daher fragte ich: «Und was ist mit deinem Wagen?»

«Na ja», antwortete er, «für meinen Wagen bin ich vermutlich schon dankbar.» Diese Ebene der Dankbarkeit ist zwar ein schöner Anfang, ändert aber noch nichts an deiner inneren Verfassung.

Daraufhin fragte ich Will, was es bedeuten würde, wenn er seinen Wagen nicht hätte. Er schwieg einen Moment und dachte darüber nach. Dann zählte er auf: «Ich könnte nicht zur Arbeit fahren, könnte nicht einkaufen, nicht zu meinen

Freunden fahren ... und ich könnte meine Kinder nicht von der Schule abholen.»

Ich sah, wie sich sein Zustand veränderte, während er diese Tätigkeiten nannte. Also ging ich einen Schritt weiter und fragte: «Was würde es bedeuten, wenn du deine Kinder nicht abholen könntest?»

«Dann müssten sie zu Fuß nach Hause gehen oder den Bus nehmen», antwortete er.

«Und wie wäre der Heimweg dann für sie?», hakte ich nach.

Will stellte sich vor, wie die Kinder in der Kälte nach Hause gingen. Er wusste außerdem, dass ihr Heimweg nicht ungefährlich war, und war sichtlich beunruhigt.

Nach ein paar Momenten erinnerte er sich an seine Kindheit und wie er auf der Heimfahrt im Bus schikaniert worden war. Da fiel plötzlich der Groschen. Er holte tief Luft. Ich sah die Erleichterung in seinem Gesicht, als er an sein Auto dachte. Endlich gab er zu, wie dankbar er dafür war, dass er nicht nur einen Wagen hatte, sondern dass er mit diesem Fahrzeug auch seinen Lieben das Leben erleichtern konnte. Seine innere Verfassung hatte sich völlig verändert, und ich konnte diese Verwandlung an seiner Körpersprache ablesen.

Wenn du dich in Dankbarkeit übst, stell dir vor, wie anders dein Leben ohne das wäre, wofür du gerade Dank äußerst. Das wird starke Empfindungen und Emotionen hervorrufen, die dir helfen, die Dankbarkeit tief zu erfahren.

Denke daran, vieles in deiner Welt mag schieflaufen – es gibt aber auch vieles, was richtig läuft.

Je dankbarer du für das bist, was du hast,
desto mehr wirst du bekommen, für das du
dankbar sein kannst.

Ich möchte dir eine kurze Geschichte erzählen. In der Zeit, als ich in einem Büro arbeitete, hatte ich einen Manager, mit dem ich überhaupt nicht klarkam. Wir machten uns gegenseitig das Arbeiten schwer. Da er jedoch mein Vorgesetzter war, behielt er immer die Oberhand.

Monatelang ließ ich zu, dass seine Handlungen meine Stimmung beeinträchtigten und damit auch meine Arbeitsleistung. Ich reagierte mit Groll, ich lästerte über ihn, ich hasste es, zur Arbeit zu fahren, und ich sandte diese negativen Gedanken und Gefühle ständig ins Universum aus. Das Ergebnis war, dass die Situation noch schlimmer wurde!

Ich wollte auf Abstand gehen, aber er saß direkt neben mir, das war also unmöglich. Und selbst wenn es mir gelang, mich räumlich von ihm zu entfernen, fand er einen Weg, um mich zu provozieren. Damals hatte ich keine Angst davor, deutlich zu sagen, wie es mir ging, auch wenn das bitter klang. Ich hatte kein Problem damit, ihm an den Kopf zu werfen, dass er keine Führungsqualitäten besaß. Doch das machte die Sache natürlich nicht besser.

Nachdem ich einige Onlinevideos der spirituellen Lehrerin Esther Hicks gesehen hatte, wurde mir klar, dass ich meine Energie verkehrt einsetzte. Das Problem war mir bewusst, aber ich vergrößerte es noch, statt mich auf eine Lösung zu konzentrieren. Erst als ich den Blick auf die Lösung richtete, besserte sich die Situation.

Ganz bewusst bemühte ich mich, dankbar zu sein, dass ich einen gutbezahlten Job hatte. Mir war klar, wie schwierig es war, überhaupt eine Stelle zu finden, und noch dazu eine mit einem so großzügigen Gehalt. Das Geld ermöglichte mir, in meinem Leben viele Annehmlichkeiten zu genießen. Diese schönen Dinge führte ich mir nun immer wieder vor Augen, um in der Dankbarkeit zu bleiben, die ja durch eine hohe Schwingungsfrequenz gekennzeichnet ist.

Einige Monate später wurde mein Manager in ein anderes Team versetzt. Außerdem erhielt ich eine Gehaltserhöhung und bekam viel größere Freiheiten bei meiner Arbeit. Die nun folgende Zeit gehörte zu den besten in diesem Job. Es war wunderbar: Einfach weil ich beschlossen hatte, mich wohlzufühlen, wurde ich belohnt, und daraufhin ging es mir sogar noch besser!

Zu oft richten wir unsere Energie auf das, was wir befürchten oder ablehnen. Ich sage nicht, dass deine Probleme nicht existieren, aber ich empfehle dir, deine Energie lieber in die Lösung dieser Probleme zu investieren. Im Universum herrscht in allen Bereichen Überfluss; es ist nur die Illusion der Angst, die uns einschränkt.

Verwandle negative Gefühle

Negative Emotionen zu ignorieren ist so,
als würdest du in deinem System Gift festhalten.
Lerne, alles zu verstehen, was du empfindest.
Das Ziel ist nicht, positive Gedanken zu
erzwingen, sondern die negativen Gedanken
in etwas Bekömmlicheres zu verwandeln,
damit du dich wohler fühlst.

Unsere Gedanken beeinflussen unsere Emotionen in erheblichem Maß; sie sind entscheidend dafür, wie wir uns fühlen. Wer mit dem positiven Denken beginnt, übersieht häufig, dass die Voraussetzung dafür ist, die negativen Gedanken umzuwandeln. Viele nehmen an, sie müssten einfach alle negativen Gedanken ausblenden, ihre unangenehmen Gefühle unterdrücken und dann nur noch positive Gedanken denken. Oft klappt das aber nicht, weil man damit nur versucht, sich selbst vorzugaukeln, dass alles in Ordnung sei, während die eigenen Gefühle jedoch etwas anderes sagen. Unterdrückte Gefühle können in deinem System toxisch wirken und irgendwann Schaden anrichten.

Hat sich ein bösartiger Gedanke in einer bestimmten Situation in deinem Kopf festgesetzt, dann wird er zukünftig in ähnlichen Situationen immer wieder auftreten und deine Schwingungen verlangsamen. Das Fortbestehen dieses Gedankenmusters kann deine geistige Gesundheit beeinträchtigen und in der Folge auch dein körperliches Wohlbefinden. Außerdem kann deine Gegenwart für andere sehr unangenehm und schädlich werden, sodass du vereinsamst. Das macht deine missliche Lage dann noch schwieriger.

Negative Emotionen einfach zu unterdrücken ist also falsch. Transformiere sie stattdessen, um deine Schwingungsfrequenz zu erhöhen – und zwar nicht nur im gegenwärtigen Moment, sondern auch in allen ähnlichen zukünftigen Situationen. Deine Emotionen zu verstehen ermöglicht dir, sie umzuwandeln und ihre Schwingungsfrequenz immer wieder zu erhöhen. Aus diesem Grund ist es für die persönliche Entwicklung so wichtig, sich selbst zu beobachten.

Ein Beispiel: Eine meiner Klientinnen, nennen wir sie Sarah, hatte einen Mann kennengelernt, für den sie sich interessierte. Nachdem die beiden ein paar Tage lang telefoniert und gechattet hatten, meldete er sich nicht mehr. Sie wartete am Telefon, weil sie mit einer Nachricht von ihm rechnete, aber es kam nichts. Daraufhin setzte sich in ihrem Kopf der Gedanke fest: «Niemand interessiert sich für mich, und niemand hat für mich Zeit, weil ich hässlich bin.» Das machte sie traurig.

Sarah musste ihre negativen Emotionen in positive transformieren, daher folgten wir Schritt für Schritt einer Methode, die ich zu diesem Zweck entwickelt habe.

Wie man negative Emotionen transformiert

1. Erkennen: Um deine emotionale Verfassung ändern zu können, musst du erkennen, was du gerade fühlst. Sarah zum Beispiel war traurig und hatte Angst. Als wir weiter nachforschten, entdeckten wir, dass sie sich außerdem nicht beachtet fühlte und verunsichert war.

2. Hinterfragen: Im nächsten Schritt fragst du dich: Warum fühle ich mich so? Welche Gedanken lösen diese Gefühle aus?

Sarah war traurig, weil sie auf ihre SMS keine Antwort bekam. Ihr immer wiederkehrender Gedanke dazu war, dass niemand Zeit für sie hatte und niemand sich für sie interessierte, weil sie hässlich war. Daraus entstanden ihre Gefühle der Einsamkeit und der Verunsicherung.

Bei diesem Schritt beobachtest du deine Gedanken ganz bewusst. Viele unserer Überzeugungen beruhen auf Übertreibungen, irrigen Vorstellungen und Meinungen, die uns von anderen Leuten aufgedrängt wurden. Diese unrichtigen Gedanken und Urteile können wir hinterfragen. Wir können unsere Gedankengänge analysieren und die negativen Gedankenmuster durch logische Überlegungen in positive Gedanken verwandeln.

Überprüfe zuerst, ob die Überzeugungen, die zu deinen Gedankenmustern geführt haben, wirklich begründet sind. Sarah fragte sich in unserem Beispiel: Ist es wahr, dass niemand Zeit für mich hat, weil ich hässlich bin? Indem sie intensiv über diese Frage nachdachte, lernte sie viel über die Gründe für ihre Gefühle. In dieser Phase kannst du dir Fragen stellen, die dich zwingen, tiefer nachzubohren. Du kannst auch ganz ungewöhnliche Fragen stellen, denn sie inspirieren zu ungewöhnlichen Antworten. In unserem Beispiel fragte Sarah sich als Nächstes: Bedeutet das Schweigen dieses einen Mannes, dass ich niemals glücklich sein werde?

Sarah sann über diese Frage nach und erkannte, dass sie aus einer Mücke einen Elefanten gemacht hatte. Dass ein Mann ihr auf eine Nachricht nicht geantwortet hatte, hieß nicht, dass sie niemals glücklich werden würde. Ich wies sie darauf hin, dass ihr Glück nicht davon abhing, wie andere sich ihr gegenüber verhielten.

Dir selbst Fragen zu stellen kann dir helfen, die Begrenzungen deines bisherigen Denkens zu erkennen, so wie es bei Sarah der Fall war. Dir wird klar, dass du von falschen Voraussetzungen ausgegangen bist und dich auf die negativen Aspekte der Situationen in deinem Leben konzentriert hast.

Probiere es aus. Erinnere dich an ein Erlebnis aus deiner Vergangenheit, das dich unglücklich gemacht hat, und stelle dir Fragen dazu, die dich zum Kern der Sache führen. Wichtig ist die Erkenntnis, dass wir unseren Kummer selbst erzeugen, indem wir unbewusst negative Schlüsse aus solchen vergangenen Erlebnissen ziehen. Diese Schlüsse speichern wir als Gelerntes ab, und das müssen wir jetzt hinterfragen. Wenn es uns nicht gelingt, solche vermeintlichen Lehren zu korrigieren, kramt unser Unterbewusstes sie immer wieder hervor. Mit der Zeit können diese ständigen Wiederholungen dich dann belasten und zu Depressionen führen.

3. Verstehen: Bei diesem Schritt geht es darum, die tiefere Bedeutung hinter dem Gefühl aufzudecken. Sarah stellte fest, dass sie nach ihrem Erlebnis mit dem neuen Bekannten verunsichert war. Sie machte sich Sorgen, dass sie nicht gut genug sein könnte. In den Tagen, als der Mann mit ihr gechattet hatte, war ihr Selbstwertgefühl gewachsen. Offensichtlich hatte sie ein großes Bedürfnis nach sozialer Anerkennung und Bestätigung.

Sobald du die tiefere Bedeutung hinter deinen Gefühlen erkannt hast, kannst du sie nutzen, um daran zu wachsen. Sarah schätzte ihren Wert danach ein, was andere über sie dachten, denn ihr Selbstwertgefühl war schwach. Um mit sich selbst zufrieden zu sein, musste sie von anderen Wertschätzung und Zustimmung erfahren.

4. Ersetzen: Diese schwächenden Gedanken müssen nun durch stärkende Gedanken ersetzt werden. Frage dich: Wie kann ich solche Situationen anders sehen oder anders bewältigen, damit es mir besser geht und ich ein großartigeres Leben führen kann?

Es ist notwendig, dass du destruktive Denkmuster in Gedanken verwandelst, die dir guttun. Sarah machte sich klar, dass sie liebenswert war, ganz egal, wie andere sich ihr gegenüber verhielten. Sie sagte: «Ich liebe mich selbst, und das reicht. Die Liebe, die ich mir selbst schenke, bekomme ich irgendwann von jemandem, der mich wirklich gernhat.»

Um diese stärkenden Gedanken zu untermauern, kannst du an Situationen zurückdenken, in denen du dich tatsächlich so gefühlt hast, wie du dich fühlen möchtest. Sarah er-

innerte sich an eine Szene, in der sie sich wertvoll, selbst-
sicher und geliebt fühlte. Sie malte sich diese Szene aus und
erlebte sie nach.

Mit dieser Technik steigerst du nicht nur dein Selbstvertrauen, sondern sie kann auch zu einer Lösung führen. Zum
Beispiel erinnerst du dich vielleicht an etwas, das du einmal
in einer schwierigen Situation getan hast und das dir geholfen hat, sie zu bewältigen.

5. Visualisieren: Stell dir vor, wie du mit der negativen Emotion, die du gerade spürst, in Zukunft umgehen wirst. Damit
erhöhst du nicht nur deine Schwingungsfrequenz, sondern
du bahnst auch einen Weg, der deinem Gehirn ermöglichen
wird, das unerwünschte Gefühl mühelos zu bewältigen.

Das solltest du möglichst oft wiederholen und dabei deine
Phantasie anstrengen, um die Situation vor deinem inneren
Auge noch realer werden zu lassen. Wiederholung ist der
Schlüssel zur Meisterschaft. Wenn du eine Situation, in der
du dein negatives Gefühl transformierst, im Geiste immer
wieder probst, wirst du genau wissen, wie du sie bewältigen
kannst, wenn sie das nächste Mal tatsächlich auftritt.

Bleib in der Gegenwart

Sobald du an den nächsten Moment denkst,
lässt du dich nicht auf die Gegenwart ein.
Sorge dafür, dass du dein Leben nicht ganz
und gar im Kopf lebst.

Der technologische Fortschritt bringt es mit sich, dass Menschen auf der ganzen Welt sich mehr mit raffinierten kleinen Geräten beschäftigen als mit ihrer Umwelt. Wir sprechen öfter in unsere Handys als mit einem tatsächlichen Gegenüber und wischen häufiger über unsere Displays, als wir unsere Liebsten streicheln. Wir sind so sehr damit beschäftigt, auf Monitore zu schauen und digital zu kommunizieren, dass wir die Welt um uns herum vergessen.

Es scheint, als würden heutzutage viele Menschen etwas Schönes lieber durch ein Kameraobjektiv erleben, als sich mit bloßem Auge an dem zu freuen, was sich gerade vor ihnen ereignet. In Konzerten wird das Publikum von aufleuchtenden Handydisplays angestrahlt. Damit will ich nicht sagen, dass wir kostbare Augenblicke nicht festhalten sollten. Aber wenn wir das Leben nur durch ein Display betrachten, können wir nicht im Augenblick präsent sein.

Je mehr wir uns vom gegenwärtigen Moment ablenken,

desto nervöser, ängstlicher und gestresster fühlen wir uns. Im Alltag werden wir von Sorgen erdrückt, weil wir inzwischen darauf konditioniert sind, anderswo zu leben als im Hier und Jetzt. Überdies ignorieren wir die Menschen um uns herum, wenn wir uns zu sehr auf unsere kleinen Wunder der Technik konzentrieren. In solchen Fällen bezahlen unsere persönlichen Beziehungen den Preis dafür.

Aus diesem Grund sind viele von uns oft verzweifelt, einsam und ratlos. Unsere Schwingungsfrequenzen werden niedriger, weil wir uns in Situationen hineinversetzen, die mit unserem derzeitigen Leben nichts zu tun haben. Wir erleben Momente in der Vergangenheit nach, fürchten uns vor der Zukunft und stellen uns gedanklich Hindernisse in den Weg. Wir verwenden kreative Energie auf destruktive Vorstellungen – und öffnen damit dem Chaos in unserem Leben Tür und Tor.

Das Jetzt ist die einzige Zeit, die du hast. Was vergangen ist, existiert nicht mehr, ganz gleich, wie oft du es im Geiste zurückholst. Und die Zukunft ist noch nicht da, selbst wenn du sie in Gedanken ständig vorwegnimmst. Viele von uns verkleiden das Morgen als Heute und bemerken es nicht einmal. Nichts ist kostbarer als der gegenwärtige Moment, denn er kommt nie wieder. Wenn er vergangen ist, kannst du zwar versuchen, ihn mit allen Sinnen nachzuerleben, aber er bleibt Konserve und ist nicht mehr frisch.

Denke an eine Situation, in der du völlig vergessen hast, auf die Uhr oder auf dein Smartphone zu gucken. Vielleicht warst du mit Menschen zusammen, die du liebst, oder du hast etwas getan, was dir Freude bereitete. Du warst so in

Technische Geräte sind Hilfsmittel,
kein Ersatz für das Leben.

den Moment vertieft, dass du gar keine Zeit hattest, dir wegen der Vergangenheit oder um die Zukunft Sorgen zu machen. Du hast ganz im Jetzt gelebt und es genossen. Man kann auch sagen, du warst im gegenwärtigen Moment präsent.

Zukunftspläne zu schmieden ist, wie wir noch besprechen werden, notwendig, wenn du deine Ziele erreichen willst, aber du solltest nicht zu viel Zeit mit Vorausplanen verbringen. Denke daran: Auch der gegenwärtige Moment war einmal Zukunft. Vor zehn Jahren hast du vielleicht genau diesen Zeitpunkt als Zukunft betrachtet. Die Zukunft ist jetzt.

Als ich Anfang zwanzig war, hoffte ich während meiner Arbeitswoche, dass die Tage möglichst schnell vergehen würden, denn am Samstag hatte ich etwas vor. Ich wünschte mir, meine kostbare Zeit würde verfliegen – Zeit, die ich niemals zurückbekommen würde. Wenn der Samstagabend dann vorbei war, richtete ich meine Hoffnungen auf einen anderen Tag, an dem ich etwas Tolles plante … auch wenn er manchmal noch Wochen entfernt war.

Das ist die Bedingung, unter der wir leben. Sobald wir geboren sind, kommen wir dem Tod alle 24 Stunden einen Tag näher. Die Zukunft, auf die wir ständig warten, erreicht uns nur in Gestalt der Gegenwart. Sobald sie da ist, geht sie so schnell vorbei, dass wir es oft nicht einmal bemerken. Wir richten unsere Aufmerksamkeit ganz schnell auf den nächsten Moment und wieder auf den nächsten und so immer weiter.

So leben die meisten von uns. Wir wachen auf, bewältigen den Tag und legen uns wieder schlafen. Das tun wir 365-mal im Jahr. Wir warten auf Erfolg, Liebe und Glück und machen uns nie richtig bewusst, was wir im gegenwärtigen Moment bereits haben. Irgendwann wird uns dann klar, dass wir nie richtig gelebt haben. Oder wir besitzen endlich die lang ersehnten Reichtümer, können sie aber nicht genießen, weil wir immer wieder neue Ziele erreichen müssen.

Wir lassen unser Leben von einer Zukunft bestimmen, die nur in unserer Phantasie existiert, und verpassen dabei, was vor unseren Augen geschieht.

Das Gleiche könnten wir über unser Verhältnis zur Vergangenheit sagen. Auch wenn wir vielleicht schöne Erinnerungen haben, die wir uns ab und zu gern ins Gedächtnis rufen, müssen wir lernen zu akzeptieren, dass die Vergangenheit vergangen ist. Wir können sie nicht mehr verändern, sondern nur noch in Gedanken bearbeiten.

Die Meditationsübung, die ich im nächsten Kapitel vorstellen werde, kann dir helfen, dich mit der Gegenwart zu verbinden. Indem wir Achtsamkeit für den gegenwärtigen Moment entwickeln, lernen wir, eine höhere Schwingungsfrequenz aufrechtzuerhalten, weil wir uns nicht mehr von vergangenem Leid oder Angst vor der Zukunft lähmen lassen.

Meditiere

Meditation wird immer beliebter und erhält von allen Seiten Lob, von Ergotherapeuten bis hin zu den Mainstream-Medien. Menschen aus ganz verschiedenen Lebensbereichen sprechen über die Vorzüge des Meditierens. Wenn du aber noch nie damit in Berührung gekommen bist, kann dir die Meditationspraxis abschreckend, zeitraubend und schwierig erscheinen. Aus genau diesen Gründen habe ich persönlich viele Jahre lang einen Bogen darum gemacht.

Wie viele andere auch hatte ich mir zwar vorgenommen zu meditieren, war aber nie richtig dazu gekommen. Als ich schließlich damit anfing, fand ich es sonderbar und war mir nicht sicher, ob ich es richtig machte und ob es funktionierte. Ich meditierte nur unregelmäßig und konnte nicht recht erkennen, inwiefern es mir guttun sollte. Doch als ich mich dann intensiver damit beschäftigte, wurde mir klar, dass ich das Prinzip hinter dem Meditieren nicht so gut verstanden hatte, wie ich geglaubt hatte. Ich hatte mir die Sache zu kompliziert gemacht.

Erst als ich mich aufraffte, an dreißig Tagen
hintereinander zu meditieren,
spürte ich eine Wirkung.

Nachdem ich ein Jahr lang täglich eine Viertelstunde meditiert hatte, bemerkte ich unglaubliche Veränderungen in mir. Unter anderem stellte ich fest, dass ich viel seltener wütend wurde – und meine Wut war bis dahin ein Problem für mich gewesen. Nun aber verspürte ich in Situationen, in denen ich früher explodiert war, keinen Zorn mehr. Außerdem fiel mir auf, dass ich die Fähigkeit entwickelt hatte, mitten im Chaos ruhig und friedlich zu bleiben. Und ich konnte meine Gedanken bewusster lenken. Das alles führte dazu, dass ich öfter glücklich war.

Diese Veränderungen konnte ich nicht ignorieren.

Meditation hilft dir, dich von deinem Ego zu lösen. Dadurch entstehen Ruhe, Klarheit und größere Geduld. Während ich meditiere, sendet meine Intuition mir wichtige Botschaften. Dieser Zugang zu meiner inneren Weisheit beantwortet mir sämtliche Fragen, mit denen ich mich gerade abmühe. Und wenn ich meine Schwingungsfrequenz erhöhen muss, weiß ich, dass ich in der Meditation meine positiven Gefühle wiederfinden werde.

Das klingt vielleicht merkwürdig. Viele Menschen glauben, das Ziel der Meditation bestehe darin, den Geist von Gedanken zu befreien. Doch das ist ein Irrtum: In Wirklichkeit ist Meditation *Konzentration*. Meditieren hilft dir, den gegenwärtigen Moment bewusst wahrzunehmen – und dieses kraftvolle Instrument können wir in jedem Lebensbereich einsetzen.

Du praktizierst Meditation, indem du mit Hilfe deiner Sinne ganz im gegenwärtigen Moment präsent bist und dabei gelassen deine Gedanken, Emotionen und körperlichen

Empfindungen beobachtest – mit Distanz, ohne sie zu beurteilen.

Ich möchte dich durch eine kurze Entspannungsmeditation führen, die du jetzt sofort ausprobieren kannst. Du brauchst dazu nur einen Stift, Papier und einen ruhigen Moment.

Meditieren in sieben Schritten

1. Schätze intuitiv deinen Energielevel ein. Wo würdest du auf einer Skala von 1 bis 10 deine Schwingungsfrequenz einordnen? 1 bedeutet: «Ich bin total kaputt und will überhaupt nichts tun», und 10 heißt: «Ich fühle mich super, voller Frieden und glücklich.» Schreibe die erste Ziffer auf, die dir einfällt, und hinterfrage sie nicht.

2. Jetzt beginnst du, dich in einen meditativen Zustand zu versenken. Suche dir einen Platz, an dem du dich vollkommen entspannen kannst. Du kannst dich hinsetzen oder stehen bleiben. Die Augen hältst du bei diesem Schritt noch geöffnet. Nun nimm deinen Körper bewusst wahr.

Sitzt du?

Stehst du?

Wie fühlt sich deine Wirbelsäule an?

Verändere nichts. Nimm einfach bewusst deinen Körper wahr.

3. Als Nächstes achte bewusst auf deinen Atem. Beobachte ihn nur. Lass die Luft tief in deine Lungen strömen und atme sie dann wieder aus. Beim nächsten tiefen Atemzug stelle dir vor, dass du deine Lungen mit so viel Luft wie möglich füllst und dass du beim Ausatmen die verbrauchte Luft wieder ausstößt.

Spüre, wie deine Bauchdecke sich bei jedem Atemzug hebt und senkt. Spüre, wie dein Brustkorb sich bei jedem Atemzug ausdehnt und wieder zusammenzieht.

4. Jetzt sieh dich um. Nimm die Farben und Muster wahr, auf die dein Blick fällt, ohne sie zu beurteilen. Beobachte nur. Lass deine Augen alles aufnehmen, was dich umgibt. Dann schließe sie langsam.

Beobachte, was nun vor deinem inneren Auge auftaucht.

Lass deine Gedanken vorbeiziehen, ohne Druck. Es gibt kein Richtig und kein Falsch. Entspanne die Augenlider, während du beobachtest, was in deinem Kopf kommt und geht. Und nimm weiter deine Atemzüge wahr: ein, aus, Ausdehnen und Zusammenziehen.

5. Lausche den Geräuschen um dich herum.

Wo kommen sie her?

Was sind es für Geräusche?

Gibt es besonders auffällige Geräusche?

Kannst du zwischen Geräuschen im Vordergrund und Hintergrundgeräuschen unterscheiden?

Und jetzt lausche deinen Atemgeräuschen. Ein und aus.

6. Richte deine Aufmerksamkeit jetzt auf deinen ganzen Körper. Spürst du irgendwo Spannungen? Du brauchst nichts zu verändern. Beobachte einfach deine Empfindungen.

Steigen in diesem Moment Emotionen in dir hoch? Welche? Wo spürst du sie im Körper?

Beobachte, spüre und horche. Rühre dich eine Weile nicht. Wenn du dann bereit bist, beginnst du, langsam Hände und Füße zu bewegen.

Öffne die Augen.

7. Du hast das Ende der Übung erreicht. Überprüfe nun deine Schwingungsenergie. Wie würdest du deine Schwingungsfrequenz jetzt einschätzen? Schreibe die Ziffer auf. Ist sie höher als vor Beginn der Meditation? Wenn nicht, kannst du die Übung wiederholen. Nach einer Weile wirst du feststellen, dass diese kurze Meditation deine Schwingungsfrequenz erhöht.

Wenn es dir Mühe macht, diese sieben Schritte im Gedächtnis zu behalten, kannst du sie mit dem Handy aufnehmen und dich dann von deiner eigenen Stimme anleiten lassen. Sprich langsam und deutlich und lasse beim Vorlesen Pausen für die Phasen der Stille.

Wie du siehst, ist Meditation überhaupt nicht kompliziert. Der buddhistische Lehrer Yongey Mingyur Rinpoche ist der Ansicht, um zu meditieren müsse man einzig und allein den Atem beobachten: Sobald du mit Achtsamkeit atmest, meditierst du.[10] So einfach ist das – und deswegen kannst du überall und zu jeder Zeit meditieren.

*Alles, was wir im Zustand bewusster Achtsamkeit
tun, kann Meditation sein –
sogar das Abwaschen.*

Versuche, an 30 Tagen hintereinander jeweils eine Viertelstunde lang zu meditieren. Wenn dir das zu lange erscheint, beginne mit fünf Minuten und steigere die Zeit allmählich.

Atmen ist so unendlich wichtig – sobald wir aufhören zu atmen, hört auch unser Leben auf. Es beginnt mit dem Einatmen und endet mit dem Ausatmen. Man sagt daher, dass bei jedem Atemzug eine Transformation in uns stattfindet. Mit jedem Atemzug, den wir machen, sterben wir und werden neu geboren.

Mit Hilfe des Atems stärken wir unsere Lebenskraft – die Lebensenergie, die auch als *Mana*, *Prana*, *Chi* oder *Ki* bezeichnet wird und je nach spiritueller Tradition noch weitere Namen hat. Bei jedem Atemzug strömt Lebensenergie in alle Zellen unseres Körpers hinein und lässt sie mit neuer Kraft schwingen. Mit tieferen und kontrollierteren Atemzügen beruhigen wir das Nervensystem und erhöhen unsere Schwingungsfrequenz.

Meditation reißt die Mauern des konditionierten Geistes ein und gibt uns die Möglichkeit, authentischer zu werden. Wenn du häufiger meditierst, kannst du die negativen Gedankenmuster, mit denen du dir selbst Grenzen setzt, loslassen.

DRITTER TEIL

DENKE ZUERST AN DICH SELBST

Einstieg

Von Menschen, die uns ständig herunterziehen,
Abstand zu halten, ist weder egoistisch noch
ein Zeichen von Schwäche. Im Leben geht es
um Ausgewogenheit. Wir wollen Güte und
Freundlichkeit verbreiten, daher müssen
wir uns von jenen distanzieren, die diese
Schwingungsfrequenzen stören.

Glaubst du, es ist selbstsüchtig, wenn du dich selbst an erste Stelle setzt? Je nach Situation kann es tatsächlich selbstsüchtig sein, wenn du nur an dich denkst, nicht an andere. Wenn zum Beispiel eine Torte in acht gleich große Stücke geschnitten wird und acht Menschen im Raum sind, die sich darauf freuen, wäre es egoistisch von dir, wenn du zwei Stücke nehmen würdest.

Häufig jedoch ist es wichtig, dass du zuerst an dich denkst. Du hast viel Energie zu geben, aber einen Teil dieser Energie musst du für dich selbst aufsparen. Du bist allein auf diese Welt gekommen und wirst sie auch allein wieder verlassen. Die Beziehung zu dir selbst ist die längste Beziehung in deinem Leben. Erst wenn du mit dir selbst gut zurechtkommst, kommst du auch in Beziehungen mit anderen gut zurecht.

Leider müssen wir akzeptieren, dass auch Menschen, die es gut mit uns meinen, uns wiederholt psychische Verletzungen zufügen können, weil sie nicht bedenken, welche Wirkung ihre Handlungen und ihre Worte auf uns haben. Idealerweise wünschen wir uns einen Bewusstseinszustand, in dem unsere Stimmung nicht vom Verhalten anderer abhängig ist. Doch dazu muss man spirituell sehr weit entwickelt sein – erst dann sind wir fähig, dauerhaft bedingungslose Liebe auszuströmen, ganz gleich, wie andere sich uns gegenüber verhalten. Die meisten von uns haben aber noch einen langen Weg vor sich, bis ihr Bewusstsein so hoch entwickelt ist, dass sie alle Menschen ohne Bedingungen oder Erwartungen lieben können.

Wenn wir spirituell noch nicht besonders weit entwickelt sind, kann ständiger Umgang mit negativen Menschen uns Energie absaugen. Mit der Zeit fühlen wir uns dann ausgelaugt.

Das Gute im Leben zu sehen ist viel leichter,
wenn du mit positiven Menschen zusammen bist.

Du musst also manchmal den Kontakt zu Menschen abbrechen, die dir ständig schaden. Sie vergiften dich und behindern deinen Fortschritt. Es fällt uns schwer, im Leben zu funktionieren und auch mal zu lächeln, wenn uns immer wieder Gift eingeträufelt wird. Stell dir eine Pflanze vor: Wenn du sie unter toxischen Bedingungen hältst, kann sie sich nicht entwickeln und wird bald eingehen. Unter den richtigen Bedingungen jedoch wächst und gedeiht sie und wird sehr schön. Ist sie dann erst groß und kräftig, machen ihr auch schwierige Umweltbedingungen nichts mehr aus.

Auch Menschen können toxisch wirken. Du erkennst eine toxische Person zum Beispiel daran, dass sie alles, was du tust, kritisiert, dass sie zu viel von dir erwartet, wenig Respekt vor dir hat oder dich nicht unterstützt. Sie kann dich auch lächerlich machen, links liegenlassen, körperlich misshandeln, manipulieren oder erniedrigen. Solche Menschen sind normalerweise nicht bereit, sich mit ihrem schädlichen Verhalten auseinanderzusetzen und sich zu verändern.

Wenn du mit Menschen zusammen bist, die dich schädigen, verlierst du deinen inneren Frieden, und folglich wirst du eher dazu neigen, dein daraus resultierendes Leid an andere weiterzugeben. Damit stellt sich die Frage: Bist du in solchen Fällen egoistisch, wenn du an dich selbst denkst, oder sind die anderen egoistisch, wenn sie erwarten, dass du ihr Verhalten akzeptierst?

Eine toxische Beziehung zu beenden kann unglaublich schwierig sein. Es ist nicht einfach, sich von Menschen zu lösen, die uns nahestehen, selbst wenn sie uns verletzen. Aber sobald du sie aus deinem Leben ausschließt, kann der Strom des Positiven frei fließen. Du gewinnst Zeit und Raum für Selbstbeobachtung, Heilung und Wachstum und wirst, wie die gutgepflegte Pflanze, stark und kräftig.

Überprüfe dein Verhalten

Wir möchten gern, dass die anderen ihr toxisches Verhalten einstellen, betrachten aber nur selten unser eigenes Handeln. Deine wichtigste Beziehung ist jene zu dir selbst. Es gibt also keine Entschuldigung, wenn du deine eigenen schädlichen Verhaltensweisen beibehältst. Daher ist es unerlässlich, dass du deine toxischen Neigungen, die andere und nicht zuletzt dich selbst verletzen, erkennst.

Wenn wir uns ärgern oder traurig sind, nehmen wir an, dass es allen Leuten um uns herum gut geht. Wir sehen nicht, dass auch andere vielleicht gerade eine schwierige Zeit durchmachen, und entschuldigen unser unfreundliches Verhalten mit unserer schlechten Stimmung. Damit ziehen wir sie möglicherweise noch weiter herunter, und dann sind nicht nur wir selbst verletzt, sondern auch unsere Mitmenschen.

Selbst wer glaubt, er gehe durch sein gutes Beispiel voran, vergisst häufig, das eigene Handeln zu überprüfen. Das musste ich selbst erfahren. Wenn du auf meiner Instagram-Seite warst, wirst du wissen, dass ich Zitate und Inspirationen poste. Vermutlich weißt du aber nicht, dass meine Anregungen in den sozialen Medien recht häufig kopiert und dann unter anderem Namen gepostet werden. Auch wenn es schmeichelhaft ist, dass andere meine Gedanken überneh-

Überdenke deine Verhaltensweisen immer wieder und bemühe dich, alles zu verändern, was für dich selbst und für andere toxisch ist. Damit wächst du nicht nur, sondern es ist auch ein Akt der Selbstliebe. Du zeigst dir selbst, dass du etwas Besseres verdienst als ein Verhalten, das deine Entwicklung behindert.

men, finde ich es unbefriedigend, wenn sie meinen Namen entfernen und meine Urheberschaft nicht anerkennen.

Was mich dabei wirklich umhaut, ist die Tatsache, dass es eine Reihe von Seitenbetreibern gibt, die vor einem Riesenpublikum eine positive Haltung propagieren, sich aber bisher weigern, ihr eigenes Fehlverhalten zu korrigieren. Als ich mich direkt an die Verantwortlichen wandte, teilten sie mir mit, sie wollten ihre Posts nicht zurückziehen und dann mit der richtigen Namensnennung wieder ins Netz stellen, denn das Engagement auf ihrer Seite, also vor allem die Zahl der Likes und Kommentare, sei sehr hoch, und durch Löschen meines Textes würden sie Follower verlieren. Manche dieser Leute hatten also von meinen Worten profitiert, hielten es aber trotzdem nicht für nötig, mich als Urheber zu nennen. Einer schrieb, das würden ja alle so machen, deswegen solle ich mich damit abfinden. Eine der interessantesten Reaktionen war: «Lass es los – dein Name muss nicht dabeistehen. Wenn du ein positiver Mensch bist, brauchst du mich nie wieder zu kontaktieren.» Das brachte mich zu der Erkenntnis, dass die Leute, die am lautesten predigen und sich scheinbar für positive Einstellungen und Liebe einsetzen, ihre eigenen Ratschläge nicht immer befolgen.

Letzten Endes musste ich mich tatsächlich damit abfinden, denn die Seitenbetreiber weigerten sich, ihr Verhalten zu ändern. Ich musste meinen Fokus darauf richten, selbstlos zu arbeiten. Inzwischen habe ich meine Enttäuschung überwunden. Ich sage mir, dass es mir am wichtigsten ist, eine positive Botschaft möglichst weit zu verbreiten. Auf diese Weise finde ich meinen Frieden.

Die oben geschilderte Reaktion zeigte etwas, das man sehr häufig erlebt: Jemand lenkt vom eigenen Fehlverhalten ab, indem er einem anderen vorwirft, etwas falsch zu machen. Um nicht die Verantwortung für unsere Handlungen übernehmen zu müssen, weisen wir rasch auf Fehler unserer Mitmenschen hin.

Wir könnten argumentieren, es sei ja nicht unsere Schuld, wenn andere sich durch unsere Handlungen angegriffen fühlen. Schließlich seien sie doch bloß gekränkt, weil sie unsere Handlungen auf ihre persönliche Art wahrnehmen und interpretieren.

Wenn ich mich im Recht fühle,
jemand anders jedoch meint, ich habe unrecht,
wer hat dann recht?

Aber selbst wenn du den Eindruck hast, dass jemand überreagiert, solltest du dich bemühen, den Grund für die heftigen Gefühle des anderen zu erkennen. Normalerweise hast du gegen einen seiner persönlichen Werte verstoßen. Und wenn jemand sagt, deine Handlungen hätten ihn verletzt, dann musst du ihr oder ihm Glauben schenken; du kannst nicht für andere entscheiden, ob sie sich verletzt fühlen oder nicht.

Ich habe das in der Beziehung mit meiner Partnerin gelernt. Manchmal übertreibe ich mit meinen Witzen und kränke sie damit. Zeigt sie mir dann tapfer ihre Verletzlichkeit, wäre das Schlimmste, was ich tun könnte, ihr ein schlechtes Gewissen einzureden, weil sie sich mir gegenüber geöffnet hat. Ich darf auf keinen Fall in Abwehrhaltung gehen und ihr zum Beispiel Überempfindlichkeit vorwerfen. Jemandem in dieser Situation zu sagen, ihre oder seine Gefühle seien unsinnig, ist ein No-Go. Du musst dich bemühen, den gekränkten Menschen zu verstehen. Finde heraus, warum er sich verletzt fühlt, und überlege dann, was du tun kannst, damit es ihm wieder besser geht.

Das ist in jeder Beziehung ein wichtiger Punkt. Wir sind alle verschieden, und wir alle verdienen, dass man unsere Gefühle respektiert. Den Schmerz eines anderen anzuerkennen und die Ursache zu verstehen, lehrt uns nicht nur etwas über diesen Menschen, sondern es hilft uns auch, uns weiterzuentwickeln. Niemand erwartet von dir, dass du vollkommen bist. Wir alle machen Fehler. Aber wir müssen bereit sein, zu lernen, zu wachsen und respektvoll zu bleiben.

Die Kraft einer guten Partnerschaft

Baue eine Beziehung auf, in der ihr miteinander
über eure Probleme redet, statt bloß in den
sozialen Medien übereinander zu sprechen.
Beziehungsprobleme lassen sich durch
aufrichtige Gespräche lösen, nicht aber durch
Statusangaben.

In Beziehungen kommt es manchmal vor, dass ein Partner den anderen bestraft, weil er selbst unsicher ist. Er wirft dem anderen Fehler vor, um seine eigenen Schwächen zu verdecken und sich überlegen und machtvoll zu fühlen. Solche Beziehungen sind oft sehr ungesund. Sie können dazu führen, dass die Partner, die bestraft werden, sich selbst in Frage stellen und sich bedrückt oder innerlich leer fühlen.

Zum Beispiel findest du vielleicht, dass deine Nase zu groß ist. Nun beobachtest du, dass deine Partnerin ein nettes Gespräch mit jemandem führt, den du für attraktiv hältst, und vergleichst dich mit ihm. Während du dich in den Gedanken verrennst, dass der andere eine schönere Nase hat als du, überkommen dich negative Emotionen wie Eifersucht, Zweifel und Hass. Das hat zur Folge, dass dein Selbstwertgefühl und deine Energie abnehmen.

Vielleicht entwickelst du auch hässliche Ideen, etwa, dass deine Partnerin den anderen attraktiv findet, weil seine Nase einfach perfekt ist. Möglicherweise lässt du deinen Frust nun an deiner Partnerin aus, indem du ihr vorwirfst, dass sie mit dem anderen flirtet, obwohl das Gespräch völlig harmlos war. Du lenkst von deiner Unsicherheit ab und unterstellst ihr Untreue, mangelnde Liebe und Respektlosigkeit. Das ist emotionale Manipulation, denn statt die Verantwortung für deine Gefühle zu übernehmen, lässt du sie an einem anderen Menschen aus.

Du sorgst dafür, dass deine Partnerin deinen Schmerz ebenfalls fühlt. Du stellst ihre Integrität und Moral in Frage und versuchst ihr einzureden, dass sie ein schlechter Mensch sei. Du zählst alle ihre vermeintlichen Fehler auf. Das führt nur zum Streit, bei dem dann vielleicht noch weitere von deinen Unsicherheiten zum Vorschein kommen. Auf beiden Seiten fallen verletzende Worte, denen möglicherweise verheerende Handlungen folgen. Um das zu verhüten, musst du verstehen, wo die Motivation zu deinen Handlungen herrührt. Sind es deine Unsicherheiten, oder hat das Verhalten deiner Partnerin eurer Beziehung geschadet? Jedenfalls ist für euch beide Leid entstanden.

Andererseits kann es auch sein, dass deine Partnerin tatsächlich geflirtet hat. In manchen Beziehungen mag das akzeptiert werden, in den meisten jedoch nicht. Und auch wenn du von niemandem Respekt einfordern kannst, kannst du dich doch aus Situationen herausziehen, in denen du nicht respektiert wirst.

Natürlich gibt es viele gute Beziehungen, in denen beide

Partner ihre Unsicherheiten haben. Sie sollten offen damit umgehen und bereit sein, gemeinsam an Verbesserungen zu arbeiten. Es ist wichtig, dass sie sich respektvoll begegnen, damit sie sich nicht gegenseitig verletzen. Alle Beziehungen erfordern Arbeit. Sie erfordern endlose Kommunikation und enormes Verständnis, daher können sie sehr herausfordernd sein. Auch wenn Aufgeben meistens nicht die Lösung ist, gibt es doch Fälle, in denen man sich trennen sollte. Das gilt insbesondere dann, wenn man sein Selbstgefühl verliert.

Manchmal musst du dich
aus toxischen Umständen befreien,
damit du gesund werden kannst.

Ungesunde Beziehungen saugen alles Gute aus uns heraus. Wir tun unser Bestes, aber der andere kommt uns in unserem Bemühen und der Bereitschaft, es zu versuchen, nicht entgegen. Wir räumen unser Liebeskonto leer, bloß damit der andere sich reicher fühlt. Wir selbst gehen dabei jedoch bankrott. Wir opfern uns für jemanden auf, der uns nicht genügend respektiert, um uns seinerseits gut zu behandeln.

Man braucht kein Experte zu sein, um zu wissen, dass Beziehungen Kraft geben sollten. Sie sollten dir nicht ständig das Gefühl vermitteln, dass du an deine Grenzen stößt oder dass dir etwas fehlt. Du solltest dich in einer Partnerschaft niemals leer oder erschöpft fühlen, und schon gar nicht, weil du deinem Partner alles gibst, was er zu seiner Erfüllung braucht.

Manchmal sind wir in die Vorstellung verliebt, wie jemand sein könnte oder wie er eigentlich in Wirklichkeit ist; wir lieben sein Potenzial. Wenn du über deine Vergangenheit mit einer Expartnerin oder einem Expartner nachdenkst, wird dir wahrscheinlich eine Phase einfallen, in der du glaubtest, sie oder er wäre das Beste, was dir je passiert ist. Später hast du dann festgestellt, dass diese Traumfrau oder dieser Traummann deinen Erwartungen doch nicht ganz entsprach.

Niemand von uns ist perfekt, daher gibt es auch keine perfekten Beziehungen. Man tappt jedoch leicht in die Falle, an einem Menschen festzuhalten, weil man sein Licht sieht und sein Potenzial, eine großartige Partnerin oder ein großartiger Partner zu sein. Im tiefsten Innern weiß man dabei häufig schon, dass man sich an falsche Hoffnungen klammert. Wenn du mit einem Menschen zusammen bist, der nicht gewillt ist, sich zu bessern, verschwendest du möglicherweise deine Zeit.

Du kannst niemanden ändern,
der nicht selbst bereit ist, sich zu ändern.

Außerdem musst du sicher sein, dass dein Partner nicht bloß vorgibt, sich bessern zu wollen. Mit dieser Taktik könnte er immer wieder falsche Hoffnungen bei dir wecken, damit du bei ihm bleibst. Das ist natürlich egoistisch und typisch für jemanden, der nicht gewillt ist, sein volles Potenzial zu entfalten.

Ich verstehe absolut, dass es schmerzhaft sein kann, einen geliebten Menschen zu verlassen, weil er dir schadet; sich aus einer toxischen Beziehung zu lösen ist viel leichter gesagt als getan. Deswegen halten viele an solchen Beziehungen fest und ertragen die Negativität, solange sie können. Aber du solltest es dir wert sein, den vorübergehenden Trennungsschmerz auszuhalten.

Manchmal geben wir uns mit unpassenden Beziehungen zufrieden, weil wir fürchten, dass wir keinen besseren Partner finden oder dass die Aufgabe, jemand Neues zu suchen und wieder ganz von vorn anzufangen, zu langwierig und zu schwierig ist. Deine Intuition sagt dir in so einem Fall vielleicht, dass dir etwas Besseres zusteht, aber du bringst nicht den Mut auf, entsprechend zu handeln.

Das folgende Beispiel kann dir helfen herauszufinden, ob du in einer toxischen Beziehung lebst: Eine Frau bat mich um meine Meinung zu ihrer Beziehung. Sie hatte Probleme mit ihrem Partner und wollte von mir wissen, ob sie sich trennen sollte. Bei Beziehungsproblemen gebe ich ungern Empfehlungen, denn ich stecke selbst nicht drin und kenne normalerweise nur eine der beiden Seiten. Wenn einer der Partner mir seine Sicht der Dinge schildert, kann ich Vermutungen anstellen, aber die Entscheidung müssen die Partner letztlich selbst treffen.

Also stellte ich eine Gegenfrage. Ich fragte meine Klientin, was sie ihrer Tochter empfehlen würde, wenn diese in ihrer Situation wäre. Daraufhin überlegte sie eine Weile. Ich wusste bereits, was sie in ihrer Lage für richtig hielt – aber sie brauchte mich, weil ich ihr diese innere Haltung entweder bestätigen oder ausreden sollte. Sie fürchtete sich vor der Entscheidung, daher drückte sie sich davor. Als ich ihr meine Frage stellte, wurde ihr jedoch ebenfalls klar, dass sie die Antwort schon kannte.

Eltern wollen ihre Kinder instinktiv beschützen. Selbst wenn du kein Kind hast, kannst du das wahrscheinlich nachempfinden. Du hättest dein Kind so lieb, dass du verhindern wolltest, dass es verletzt wird oder etwas Schönes im Leben verpasst. Schon bevor diese Frau mich um Rat fragte, hatte ihr Bauchgefühl die Entscheidung getroffen, aber erst, als sie sich ihre Tochter in der toxischen Beziehung vorstellte, konnte sie zu ihrer Entscheidung stehen. Ich empfehle anderen immer, ihrer Intuition zu vertrauen, denn die Intuition ist das Flüstern der Seele, mit dem sie uns Rat gibt.

Wenn du ganz kurz vor einer Lösung stehst, ohne darüber nachgedacht zu haben, dann weißt du, dass deine Intuition zu dir spricht.

Manchmal hat man bei einem bestimmten Gedanken plötzlich ein merkwürdiges Gefühl im Bauch. Ich glaube, dass durch diese Empfindung deine Intuition zu dir spricht. Sie gehört zu den besten Ratgebern überhaupt.

Selbst hartnäckige Gedanken sind nicht unbedingt Ausdruck deiner Intuition, denn sie können ihren Ursprung in Ängsten oder Wünschen haben. Intuition ist eine sanfte Empfindung, die dir ein beruhigendes Gefühl von Abstand vermittelt. Manchmal fühlt sie sich an, als würde dich etwas von innen her leicht anstupsen.

Denke immer daran, dass eine Beziehung dein Leben bereichern und dir normalerweise gute Vibes bringen sollte. Toxische Beziehungen schaden nicht nur deiner psychischen Gesundheit, sondern auch deinem physischen Wohlbefinden.

Halte nicht an einer Beziehung fest, nur weil du Angst davor hast, allein zu sein. Ist die Zeit reif für einen Abschied, dann sei tapfer und trenne dich. Im Moment mag das weh tun, aber du legst damit den Grundstein für etwas Großartigeres in der Zukunft.

Suche dir echte Freunde

Eines Abends erhielt ich eine E-Mail von einer Jugendlichen, die sich selbst die Diagnose Depression und schwaches Selbstwertgefühl gestellt hatte. Sie war mit ihrem Leben unzufrieden, besaß kein Selbstvertrauen, und es fiel ihr sehr schwer, positiv zu denken. Die Empfehlung, mit Optimismus in die Zukunft zu sehen, half nicht, es verschlimmerte ihren Zustand nur.

Nachdem ich mit ihr gesprochen hatte, war mir klar, dass ihre Freundinnen ihr zahlreiche verstörende Urteile eingehämmert hatten, zum Beispiel, dass sie hässlich, dumm und peinlich wäre. Diese angeblichen Freundinnen erkannten den Wert des Mädchens nicht, und die Geringschätzung seitens der anderen wirkte sich negativ auf ihr Selbstbild aus.

Wenn jemand dich nicht achtet oder dir Fehler ankreidet, ist es gut möglich, dass du diese Meinungen in dein Selbstbild integrierst. Viele der Gedanken in unseren Köpfen sind ursprünglich nicht unsere eigenen. In der Kindheit hat man uns vielleicht erzählt, dass wir für bestimmte Lebenswege nicht geschaffen seien. In diesem Glauben sind wir dann aufgewachsen. Wir halten die Einschätzungen und Meinungen anderer für wahr und machen sie zu unserer Realität.

Damit bestimmen dann achtlos hingeworfene Bemerkungen und soziale Programmierung unser Leben.

Manchmal besteht die einfachste Lösung darin, sich andere Gesellschaft zu suchen, insbesondere dann, wenn es uns nicht gelingt, die Menschen in unserem bisherigen Umfeld positiv zu beeinflussen. Als die Jugendliche sich von ihren Freundinnen trennte und neue Freundschaften schloss, gewann sie allmählich Selbstbewusstsein und Zuversicht.

Verschlanke deinen Freundeskreis. Behalte nur die Freunde, die dein Leben bereichern, von den anderen solltest du dich trennen. Hier ist weniger mehr, wenn wenige Freunde dir mehr bedeuten.

Seit der Entstehung der sozialen Netzwerke hat sich die Definition von «Freund» verändert, denn virtuelle Freundschaften beeinflussen unser heutiges Verständnis von Freundschaft. Freundinnen und Freunde sind nicht mehr Menschen, die man gut kennt. Mittlerweile können wir fast jeden Bekannten als Freund bezeichnen – selbst wenn wir ihn nur ein Mal in einer Kneipe oder einer Disco getroffen haben.

Doch wie viele dieser flüchtigen Bekanntschaften sind echte Freundschaften? Könntest du diese Freunde um Hilfe bitten, wenn du in Not wärst? Leider ist die Basis vieler gegenwärtiger Freundschaften weder emotionale Unterstützung noch eine nahezu familiäre Verbundenheit. Stattdessen beruhen sie darauf, dass man gemeinsam trinkt, raucht, feiert oder shoppen geht – Tätigkeiten, die deine Schwingungsfrequenz senken können.

Viele derartige Freundschaften haben für die Beteiligten einen kurzfristigen Nutzen. Zum Beispiel spielen manche Freunde vielleicht nur eine Rolle in deinem Leben, wenn du gerade jemanden brauchst, der dich zu einer Veranstaltung begleitet. Vielleicht betrachtest du auch denjenigen, mit dem du immer ins Fitnessstudio gehst, als Freund. Aber wäre er für dich da, wenn du Hilfe beim Umzug brauchtest? Hätte er Zeit, mit anzupacken? Würde er dir Unterstützung anbieten? Solche unverbindlichen Freundschaften müssen nicht schlecht sein, denn sie erfüllen ihren Zweck. Allerdings können sie sich rasch auflösen, wenn du wirklich Hilfe brauchst.

Manchmal sind unsere oberflächlichen Freundschaften zahlreicher als die tiefgehenden. Überlege, wer von deinen Freunden dich unterstützt. Wer gratuliert dir zu einem Sieg? Wer ermutigt dich zu positivem Handeln? Wer hilft dir, dich weiterzuentwickeln? Solltest du dir bei einem Menschen nicht sicher sein, dann ist die Freundschaft zu ihm oder ihr vielleicht nicht so tief, wie du bisher geglaubt hast.

Falls du den Verdacht hast, dass du innerhalb deines Freundeskreises das Ziel von Neid oder Hass bist, dann umgibst du dich nicht mit den richtigen Leuten. Wahre Freunde wollen dein Bestes. Sie freuen sich über deinen Erfolg. Sie reagieren nicht mit Bitterkeit auf Verbesserungen in deinem Leben. Im Gegenteil: Sie helfen dir, dich zu verbessern, und sorgen dafür, dass du nicht verbitterst!

Manche Freunde gönnen dir Erfolg nur,
solange du nicht zu erfolgreich bist.
Mit solchen mittelmäßigen Freundschaften
solltest du dich nicht abfinden, denn sie bringen
negative Energie in dein Leben.

Wir alle wachsen und reifen in unserem eigenen Tempo. Allerdings gibt es Menschen, die nur langsam wachsen, weil sie sich entschlossen haben, auf der Stelle zu treten. Sie sind in ihrer Routine gefangen, machen immer das Gleiche mit immer den gleichen Freunden und klagen über immer die gleichen Probleme. Solche Leute widersetzen sich aktiv einer Veränderung und wagen es nicht, ihre Komfortzone zu verlassen und ein besseres Leben anzustreben. Sie fühlen sich mit ihrer Unzufriedenheit wohl.

Möglicherweise gehörst du selbst zu dieser Gruppe von Menschen oder hast gute Freunde, die dazu zählen. Wenn du sehr ehrgeizig bist, wirst du irgendwann trotzdem den Mut aufbringen, größere Ziele zu verfolgen. Deine Freunde dagegen werden das vielleicht nicht begreifen. Der daraus resultierende Unterschied in euren Schwingungsfrequenzen könnte dazu führen, dass eure Wege sich trennen. Wenn du zum Beispiel in spiritueller Hinsicht wachsen möchtest, beginnst du wahrscheinlich, dich für Konzepte zu interessieren, die deinen Freunden völlig fremd sind und ihnen möglicherweise sogar Angst machen.

In Wahrheit lehren alle unsere Freunde uns etwas Wertvolles über das Leben. Jeder Einzelne spielt dabei eine Rolle, manche nur vorübergehend, andere dauerhaft. Es ist in Ordnung, wenn du aus einem Freundeskreis herauswächst und die nächsten Schritte in deinem Leben gehst. Du musst dich immer auf dein eigenes Leben konzentrieren, es erweitern und dich als Individuum entwickeln. Nur wenn du wirklich glücklich, liebevoll und erfüllt bist, kannst du Großes für andere tun. Falls die Menschen in deiner Umgebung sich für andere Wege entscheiden oder dein Wachstum nicht mitvollziehen können, ist das okay. Wenn es sein soll, dass sie in deinem Leben weiterhin eine Rolle spielen, werden eure Lebenswege euch früher oder später wieder zusammenführen.

Kläre deine familiären Beziehungen

*Du kannst aus Kleidung, Hobbys, Jobs und
Freundeskreisen herauswachsen – und sogar
aus deiner Familie. Wir entwickeln uns weiter
und lassen das, was nicht zu unserem Glück und
Wohlbefinden beiträgt, hinter uns.*

Dass Menschen mit dir verwandt sind, heißt noch nicht, dass sie dein Bestes wollen. Vielen von uns wird beigebracht, dass es nichts Wichtigeres gibt als die Familie. Aber eine biologische Verwandtschaft muss nicht unbedingt eine unterstützende, tiefe Freundschaft sein. Freunde können dir näherstehen als deine Familie. Wir sollten uns darüber im Klaren sein, dass die eigenen Verwandten manchmal die Menschen sind, die uns im Leben am meisten Schaden zufügen.

Solche Beziehungen zu beenden kann äußerst schmerzhaft sein, denn oft bedeuten diese Angehörigen uns mehr als alle anderen, auch wenn sie uns immer wieder demütigen. Wenn zum Beispiel deine Eltern aber gleichzeitig immer viel für dich getan haben, lässt sich schwer rechtfertigen, warum du die Beziehung zu ihnen beenden willst.

Oft ist es auch nicht nötig, die Beziehung abzubrechen. Stattdessen reicht es häufig, dass du dich mitteilst und über deine Gefühle sprichst. Du wirst überrascht sein, wie viele Menschen gar keine Ahnung haben, wie toxisch ihr Verhalten auf andere wirkt.

Wenn sie erkennen, dass sie dir tatsächlich
weh tun, ist es gut möglich, dass sie ihr
Verhalten ändern.

Außerdem können wir versuchen, die Absichten der anderen zu verstehen. Die meisten unserer Lieben haben gute Absichten für uns. Sie möchten uns glücklich, erfolgreich und wohlhabend sehen. Aber ihre Ansichten können auf Irrtümern beruhen oder beschränkt sein, und das kann uns dann als negative Einstellung zu unseren Anliegen erscheinen.

Ein Freund hatte eine spannende Idee für einen Onlineshop, den er gründen wollte, und suchte dafür die Zustimmung seiner Eltern. Zu seiner Bestürzung war ihre Reaktion aber nicht ganz so, wie er es sich erhofft hatte. Sie machten sich über seine Idee lustig und versuchten, ihn davon abzubringen; sie konnten sich einfach nicht vorstellen, dass so etwas profitabel sein könnte. Daher rieten sie ihm, er solle aufhören, in einer Phantasiewelt zu leben, und sich lieber aufs Lernen konzentrieren, um die Noten zu bekommen, die er brauchte, um studieren zu können.

Er spürte, wie die Skepsis seiner Eltern ihn verunsicherte. Und das war nicht das erste Mal. Immer wieder hatte er das Gefühl gehabt, dass seine Eltern seinen Bestrebungen im Weg standen. In seinen Augen waren sie ihm gegenüber negativ eingestellt. Er wollte sie nicht aus seinem Leben ausschließen, weil er sie liebhatte – und weil er bei ihnen wohnte. Aber manchmal glaubte er, dass sie ihn nicht liebten!

Was mein Freund nicht begriffen hatte, war, dass seine Eltern ihn zwar kritisierten, dass das aus ihrer Sicht aber verständlich war. Sie hatten andere Vorstellungen von Machbarkeit und Erfolg als er. Ihre Überzeugungen waren von ihren Erfahrungen und ihrer sozialen Konditionierung geprägt und führten dazu, dass sie eine andere Einstellung zum Leben hatten.

Um zu erkennen, dass Menschen dich lieben, obwohl sie dich kritisieren, musst du verstehen, dass jeder von uns – auch du – nur eine eingeschränkte und subjektive Sichtweise hat. Wir sammeln ständig überall Informationen, und alles, was wir erfahren, wirkt sich auf unsere Überzeugungen und unsere Denkweise aus – wie genau, das hängt von den Informationen ab, die wir aufnehmen.

Wenn in deiner Familie noch nie jemand erfolgreich wurde, indem er, statt zu studieren, einen Onlineshop aufmachte, ist diese Möglichkeit für deine Eltern völlig neu und wird daher vielleicht kurzerhand abgelehnt. Wir alle neigen dazu, uns vor dem zu fürchten, was wir nicht verstehen. Bemühe dich daher, nachzuvollziehen, wo deine Lieben herkommen und wo die Wurzel ihrer Sorge oder ihres Zynismus liegen könnte.

Die meisten Menschen halten schon seit vielen Jahren an ihren Überzeugungen fest. Du darfst nicht erwarten, dass sie ihre Einstellungen von einem Moment auf den anderen aufgeben, bloß weil du die Welt anders siehst als sie. Falls du den Eindruck hast, dass ihre Überzeugungen sie bremsen, kannst du ihnen eine alternative Sichtweise anbieten. Du kannst ihnen jedoch nicht deine eigenen Überzeugungen aufzwingen.

Wenn du möchtest, dass deine Eltern dich unterstützen, musst du ihr Vertrauen gewinnen. Das ist deine Aufgabe. Deine Eltern ihrerseits müssen Vertrauen zu dir aufbauen. Bemühe dich, offen mit ihnen zu sprechen; erkläre ihnen, wie du dich fühlst. Beziehe sie in deine Pläne ein, gib ihnen weitere Informationen oder erkläre deine abweichende Einstellung. Versichere ihnen, dass du auch schon darüber nachgedacht hast, wie es weitergehen kann, falls du scheitern solltest. Nimm ihnen so weit wie möglich ihre Angst, damit ihr Vertrauen wachsen kann. Sobald sie mehr Vertrauen zu dir haben, werden sie eher dazu neigen, dich so zu unterstützen, wie du es dir wünschst.

Mein Freund legte seinen Eltern einen Businessplan vor. Er zeigte ihnen Beispiele von Erfolgsgeschichten und sogar Vorträge von Kultfiguren, die in seiner Familie sehr geschätzt wurden und die seine Ansichten unterstützten. Auf diese Weise half er seinen Eltern, ihre Einstellung nach und nach zu verändern.

Falls du selbst in einer ähnlichen Situation bist, liegt es an dir, den Menschen, die an deinen Plänen zweifeln, zu zeigen, dass du alles in deiner Macht Stehende tust, um den finanziellen Aufwand für den von dir gewählten Weg zu rechtfertigen.

Wenn du nicht beweist, dass es dir mit deinem
Vorhaben ernst ist, kannst du nicht erwarten,
dass andere es ernst nehmen.

Unterschätze nicht, welche Kraft es hat, mit gutem Beispiel voranzugehen. Sollte die beschränkte Denkweise deiner Angehörigen dazu führen, dass sie dir die kalte Schulter zeigen, dann zeige du ihnen, wie sie sich aus diesem unglücklichen Zustand befreien können. Sei aufgeschlossen und bemühe dich, warmherzig auf sie zuzugehen. Zeige ihnen, wie man sich verhalten sollte, selbst wenn man gerade unfair behandelt wird. Dein Vertrauen und deine Zielstrebigkeit können ganz allmählich eine Veränderung in ihnen hervorrufen. Vielleicht sehen sie, wie großartig du als Mensch bist und wie bereichernd es wäre, so zu sein wie du!

Manchmal fühlen wir uns in Beziehungen mit Menschen, die uns herausfordern, schon wohler, wenn wir unsere eigene Einstellung verändern und uns auf das Positive konzentrieren, das wir in ihnen sehen. Das ist vor allem dann ratsam, wenn du mit denen, die dich entmutigen, im gleichen Haushalt lebst. Damit ist das Problem zwar noch nicht vollständig gelöst, aber wenn du das Gute in den anderen würdigst und dir gleichzeitig etwas Abstand verschaffen kannst, bis die Lage sich bessert, kann das als Katalysator für die Heilung eurer Beziehung wirken.

Denke auf jeden Fall daran, dass du andere nicht verändern kannst, wenn sie sich nicht selbst ändern wollen. Du kannst sie beeinflussen und ihnen die Veränderung erleichtern, doch du kannst sie nicht zwingen, sich zu ändern. Sie werden sich nur zu einer Veränderung entschließen, wenn sie einen Anreiz dazu haben – etwa ein schöneres Leben oder eine bessere Beziehung zu dir. Wenn sie ein Problem nicht mit ihrer eigenen Daseins- und Denkweise in Verbindung bringen, haben sie keine Motivation für eine Veränderung.

In einigen Fällen kann das Verhalten eines Familienangehörigen extrem sein. Sie oder er kann anderen Verwandten körperlichen oder emotionalen Schaden zufügen. Doch wir sind nicht auf diese Welt gekommen, um durch die Handlungen – oder Worte – anderer Menschen Leid zu erfahren, ganz gleich, in welcher Beziehung wir zu ihnen stehen. Allein schon so zu tun, als sei das verletzende Verhalten eines anderen in Ordnung, schadet dir. Wenn du dich von jemandem trennen musst, weil er oder sie sich fortwährend destruktiv verhält, dann brich die Beziehung ohne Bedauern ab.

Achtsam für andere da sein

Wir haben bereits gesehen, wie wichtig es ist, dass du, wenn du dich gut fühlen willst, mit Menschen zusammen bist, die in besserer Stimmung sind als du und daher eine höhere Schwingungsfrequenz haben. Für die Leute mit den guten Vibes kann das allerdings Nachteile haben. Sie stellen vielleicht fest, dass es ihnen schwerfällt, in ihrem positiven emotionalen Zustand zu bleiben, wenn sie für jemanden da sind, dem es gerade nicht so toll geht. Das Zusammensein mit jemandem, der von ihrer hohen Schwingungsfrequenz profitieren will, kann sie herunterziehen.

Möglicherweise ergeht es dir selbst manchmal auch so, zum Beispiel, wenn eine Freundin dir ihre sämtlichen Probleme schildert. Dann kann sich plötzlich Traurigkeit in deinem Körper ausbreiten, denn ihre Stimmung ist ansteckend. Das habe ich erfahren, als während meines Studiums ein Mitbewohner tieftraurig war, weil seine Freundin mit ihm Schluss gemacht hatte. Eines Abends, als wir mit Freunden unterwegs waren, ging er vorzeitig in unsere Wohnung zurück, weil er so verzweifelt war. Seine Exfreundin war in äußerster Sorge um ihn, denn er hatte ihr eine SMS geschrieben, aus der hervorging, dass er sich etwas antun könnte. Sie bat uns deshalb, nach ihm zu sehen.

Als meine Freunde und ich zurück in die Wohnung kamen, war seine Zimmertür abgeschlossen, und dahinter dröhnte laut Musik. Wir klopften immer wieder, aber er ließ uns nicht herein. Da gerieten wir in Panik und riefen den Hausmeister, der einen Zweitschlüssel zu dem Zimmer hatte.

Unser Mitbewohner lag zusammengekrümmt auf dem Bett. Tränen liefen ihm übers Gesicht. Wir schauten uns seine Handgelenke an und entdeckten Spuren von Schnitten, die er sich offenbar selbst beigebracht hatte. Anscheinend ging es ihm wirklich so schlecht, dass er nicht mehr leben wollte. Zum Glück hatte unser Eingreifen ihn aus seiner Verzweiflung gerissen, und es gelang uns, ihn zu trösten.

In den nächsten Tagen herrschte in unserer Wohnung eine sehr merkwürdige Schwingung. Alle waren erschüttert. Der Mitbewohner, der versucht hatte, sich das Leben zu nehmen, sprach nicht viel über den Vorfall, aber er wollte gern Zeit mit mir verbringen. Also blieb ich abends bei ihm, bot ihm Unterstützung an und versuchte, ihn behutsam zu beraten, um ihm die Situation zu erleichtern.

Nach einer Weile jedoch merkte ich, dass meine Stimmung sich grundlegend änderte und dass ich immer bedrückter wurde. Ich erkannte, dass ich, so gern ich für ihn da sein wollte, auch an mich selbst denken musste. Ich fühlte mich leer, und aus einem leeren Krug kann man nichts ausschenken.

Eine Weile hielt ich Abstand zu ihm und reduzierte unser Zusammensein auf ein Minimum. Innerlich machte ich mir jedoch Vorwürfe, dass ich nicht häufiger für ihn da war.

Wenn du versuchst, die Schwingungsfrequenz
einer anderen Person anzuheben,
sorge dafür, dass deine eigene Frequenz
dabei nicht in den Keller sackt.
Schütze zuerst deine eigene Energie.

Ich hatte das Gefühl, ich müsse gottähnlich sein und meine Niedergeschlagenheit als Schwäche akzeptieren. Doch ich war bereits am Ende, und ich wusste, dass ich meinem Mitbewohner keine richtige Stütze sein konnte, wenn es mir selbst nicht gutging. In meinem Zustand wäre es Heuchelei gewesen, ihm Trost anzubieten.

Er schien sich jedoch ganz gut zu fangen, was mein Gewissen beruhigte. Schließlich schaffte ich es, meine Schwingungsfrequenz wieder zu erhöhen und effektiver für meinen Mitbewohner da zu sein.

Das ist jetzt viele Jahre her, und seitdem hat sich viel verändert. Meine Achtsamkeit und mein Verständnis sind größer geworden. Ich habe das Glück, dass viele tausend Menschen mir Vertrauen schenken und mir ihre Probleme mitteilen. Mittlerweile kann ich damit umgehen, denn ich habe dazugelernt und bin nun in der Lage, meine Schwingungen auf gleichmäßig hoher Frequenz zu halten, auch wenn meine Gesprächspartner gerade eine sehr niedrige Schwingungsfrequenz haben. Es gibt allerdings Ausnahmen, und ich achte immer noch sehr darauf, meine Energie vor Menschen zu schützen, die sie absaugen wollen oder die meine Bereitschaft, ihnen zu helfen, missbrauchen.

Wenn du dir die Probleme eines anderen anhörst, während es dir selbst gerade nicht besonders gutgeht, solltest du dich darauf gefasst machen, dass diese Situation dir eine Menge Energie abziehen wird. Dein offenes Ohr kann für dein Gegenüber zwar vielleicht momentan hilfreich sein, letztlich jedoch hat niemand etwas davon, wenn du die Zahl der unglücklichen Menschen auf der Welt erhöhst.

In einer derartigen Situation ist es am klügsten, zuerst deine eigene emotionale Verfassung zu stärken, indem du deine Schwingungsfrequenz so weit anhebst, wie es dir möglich ist. Damit baust du die Kraft auf, die du brauchst, um einem anderen Menschen wirklich helfen zu können.

Mit Negativität umgehen

Nicht alle werden dir zuhören, dich akzeptieren
oder auch nur versuchen, dich zu verstehen.
Manche kommen mit deiner Energie einfach
nicht gut klar. Schließe Frieden damit und gehe
weiter auf deinem Weg ins Glück.

Es gibt wohl immer jemanden, der dich nicht mag, ganz gleich, wie nett oder wie großartig die meisten Menschen dich finden. Das geht uns allen so. Nur wenn du den ganzen Tag allein zu Hause bleiben würdest, wenn niemand dich sehen, mit dir sprechen oder überhaupt von deiner Existenz wissen würde, wärst du keinen Angriffen ausgesetzt. Sobald du dich zeigst, ziehst du Hater an.

Ich bekomme ab und zu negative Kommentare von anderen, selbst wenn ich etwas Gutes getan habe. Zum Teil liegt das daran, dass diese Art von Beschimpfungen im Internet stark verbreitet ist, vor allem, da die Hater ihre Identität nicht preisgeben müssen. Im Netz können sie nach Lust und Laune bitterböse Bemerkungen hinterlassen, ohne dafür Verantwortung übernehmen zu müssen – Bemerkungen, die sie im echten Leben nicht im Traum von sich geben würden.

Ich erinnere mich noch, wie ich das erste Mal verspottet wurde. Damals war ich fünf Jahre alt. Wir sollten in der Schule unsere Eltern beschreiben. Alle Kinder in meiner Klasse hatten eine Mutter und einen Vater.

Als ich an der Reihe war, erzählte ich von meiner Mutter, sagte aber nichts über meinen Vater. Das führte dazu, dass die anderen Kinder mir Fragen stellten und wissen wollten, was mit meinem Vater passiert war. Ich wusste nicht, was ich antworten sollte, und zum Glück griff meine Lehrerin ein. Ich hatte, ehrlich gesagt, keine Ahnung, dass Kinder eigentlich zwei Eltern hatten. Ich war es gewohnt, nur meine Mutter zu haben, und hatte das nie in Frage gestellt.

In der Pause fingen ein paar Kinder aus meiner Klasse an, sich über mich lustig zu machen.

Sie sagten Dinge wie: «Der hat ja nicht mal einen Vater.»

«Sein Vater ist wahrscheinlich tot.»

«Seine Mama ist sein Papa.»

Ich wurde immer aufgebrachter und reagierte schließlich mit körperlicher Aggression. Daraufhin bekam ich großen Ärger, obwohl ich meiner Lehrerin erklärte, was mich dazu gebracht hatte.

Auch unter noch recht kleinen Kindern ist es normalerweise ein Mangel an Verständnis und Mitgefühl, der zu Hass auf andere führt. Wenn Menschen anders sind als wir, drücken wir ihnen schnell den Stempel «Außenseiter» auf und verspotten sie. Und je mehr Kontakte wir haben, desto größer ist die Wahrscheinlichkeit, dass auch wir selbst negativ beurteilt und kritisiert werden. Der Grund dafür ist, dass wir uns vor einem großen Publikum aus Einzelpersonen bewegen, die alle ihre eigenen Vorstellungen davon haben, was *normal* ist.

Denk nur mal an die Promis. Sie sind auch nur Menschen, doch weil sie ein so großes Publikum erreichen, werden sie ungeheuer viel kritisiert. Wir sprechen davon, dass man zu anderen nett sein soll, beziehen Prominente aber nicht mit ein, so als wären sie keine Menschen. Viele Leute haben gute Grundsätze, halten sich aber leider selbst nicht daran. Andere zitieren sogar die Bibel, benehmen sich allerdings alles andere als heilig. Häufig sind sie von ihrer eigenen Rechtschaffenheit fest überzeugt, verurteilen jedoch alle anderen, die nicht den gleichen Weg gehen wie sie.

Behalte also im Sinn, dass negative Kritik unvermeidlich ist. Da wir und damit auch unsere Handlungen ständig beobachtet werden, sind wir unausweichlich mit Menschen konfrontiert, die eine niedrige Schwingungsfrequenz haben und sich uns gegenüber unfreundlich benehmen. Abstand von solchen Leuten zu halten ist schwer, denn du kannst nur wenig tun, um ihnen auszuweichen.

Im Folgenden gebe ich einige wichtige Hinweise, die dir helfen können, deinen inneren Frieden zu bewahren, wenn andere schlecht über dich reden. Nach und nach wirst du erkennen, dass Schweigen und eine positive Gestimmtheit in diesen Fällen die beste Verteidigung sind.

> *«Niemand kann mich*
> *ohne meine Erlaubnis verletzen.»*
> MAHATMA GANDHI

Die Suche nach Leidensgenossen

Leider wollen Menschen mit niedriger Schwingungsfrequenz andere häufig auf ihre Ebene hinunterziehen. Sie versuchen zum Beispiel, deine Schwächen aufzudecken, weil sie mit deinen Stärken nicht klarkommen. Dass andere dir Zuneigung oder Aufmerksamkeit schenken, passt ihnen nicht. Und sie sind dir erst recht böse, wenn sie versucht haben, andere gegen dich aufzuhetzen, und die anderen dich trotzdem weiterhin mögen.

Im Internet finden sich zahllose Leute, die mit Vergnügen zusehen, wie andere verhöhnt und noch getreten werden, wenn sie schon am Boden liegen. Sie übernehmen gerne negative Unterstellungen und feiern die Misserfolge anderer. In der Internetkultur herrscht eine Schadenfreude, die dazu führt, dass Menschen, die Fehler gemacht haben oder schwere Zeiten durchleben, rasch zum Trendthema werden.

Hater bleiben Hater

Wenn du dich laut und vernehmlich äußerst, wird irgendjemand versuchen, dich zum Schweigen zu bringen. Wenn du leuchtest, wird irgendjemand versuchen, dein Licht zu dimmen. Ganz einfach: Wenn du dich nicht von der Masse abheben würdest, fände auch niemand einen Grund, dich zu hassen.

Oft sind Hater Personen, die sich bedroht oder gekränkt fühlen oder neidisch sind, weil wir voller Selbstvertrauen unseren Weg zur Großartigkeit gehen. Möglicherweise fürchten sie, dass unser Erfolg ihre Erfolgsaussichten mindert, oder sie haben Angst, ihre Position an uns zu verlieren. Häufig sehnen sie sich sehr nach Lob, daher ist ihnen die Vorstellung, dass wir aufgrund unseres Selbstvertrauens gefeiert werden, ein Graus. Außerdem können sie sich gekränkt fühlen, weil wir keinen einschränkenden Glaubenssätzen unterliegen, während sie selbst durch ihre konditionierte Denkweise begrenzt sind und glauben, es stünde nicht in ihrer Macht, irgendetwas zu verändern.

Sie wollen unseren Willen und unsere Motivation schwächen, damit ihr Ego sich nicht in den Schatten gestellt fühlt. Sie glauben, wenn sie uns klein machen, würden sie sich selbst nicht mehr so klein fühlen. Solche Leute gibt es tatsächlich, und sie werden dir auf deinem Weg in ein großartigeres Leben begegnen. Wir dürfen ihre Existenz nicht leugnen, aber auch nicht auf ihre Anwürfe reagieren. Eine Reaktion unsererseits ist nämlich genau das, was sie sich wünschen, um uns fertigzumachen und ihr Ego zu schützen.

Verletzte Menschen verletzen andere

Daran, wie Menschen in der Außenwelt handeln, lässt sich ablesen, was in ihrer inneren Welt vorgeht. Wenn jemand dir das Gefühl zu geben versucht, du seist nicht gut genug, ist der Grund dafür häufig, dass er sich selbst unzulänglich fühlt. Das zu verstehen hilft dir, besser mit solchen Situationen umzugehen.

Kummer zum Beispiel kann dazu führen, dass Menschen voller Bitterkeit und Lieblosigkeit handeln. Schmerzen und

seelisches Leid ziehen uns auf eine niedrige Schwingungsfrequenz herunter. So entsteht ein Dominoeffekt: Allzu oft
sind Menschen in schlechter Stimmung, weil jemand anders sie verletzt hat, der auch schlecht gelaunt war. Diese
Leute verletzen dann wiederum andere und versetzen sie in
schlechte Stimmung, und so geht es immer weiter.

Man kann den eigenen Schmerz jedoch nicht heilen, indem man ihn anderen zufügt.

Andersartigkeit nicht leiden können

Normalerweise fühlen wir uns zu Personen hingezogen,
die uns in irgendeiner Weise ähnlich sind. Das wird durch
eine Technik aus dem NLP, dem neurolinguistischen Programmieren, demonstriert, die man als Spiegeln bezeichnet.
Dabei zeigt sich, dass ein Gegenüber uns eher sympathisch
findet, wenn wir zum Beispiel seine Körperhaltung, seine
Bewegungen, seinen Gesichtsausdruck oder seinen Atem-
rhythmus nachahmen.

Angenommen, du bist laut, lebhaft und temperamentvoll.
Wenn du nun einen Menschen mit den gleichen Eigenschaften kennenlernst, findest du ihn wahrscheinlich auf Anhieb
richtig nett. Da er dir vom Sprachmuster und von seinem
ganzen Auftreten her ähnlich ist, denkst du: «Also, dieser
Mensch hat irgendwas, was mir wirklich gut gefällt.»

Wir können davon ausgehen, dass auch das Gegenteil gilt:
Zu Personen, die anders sind als wir, verspüren wir eher wenig Nähe. Umgekehrt kannst auch du auf jemanden, der anders ist als du, ein bisschen seltsam oder abgedreht wirken.

Er versteht dich nicht oder will dich nicht verstehen, weil deine Energie nicht zu seiner passt.

Ernten, was man gesät hat

Wahrscheinlich hast du schon einmal das Wort Karma gehört. Viele Leute fühlen sich mit diesem Begriff nicht so ganz wohl, weil er ein theologisches Konzept bezeichnet, das sich unter anderem im Buddhismus und im Hinduismus findet und zur Lehre von der Reinkarnation gehört. Dieses Konzept besagt, dass die Handlungen eines Menschen Auswirkungen auf sein nächstes Leben haben. Je mehr gute Taten man im gegenwärtigen Leben vollbringt, desto besser wird das nächste Leben werden.

Aber ganz gleich, ob du an Reinkarnation glaubst oder nicht, die meisten von uns akzeptieren die Vorstellung, dass wir ernten, was wir gesät haben. In der Naturwissenschaft wird von der Beziehung zwischen Ursache und Wirkung gesprochen, und das dritte Newton'sche Gesetz besagt, dass es zu jeder Kraft eine gleich große Gegenkraft gibt. In der Mehrzahl der religiösen Schriften sind Hinweise auf die Vorstellung enthalten, dass man erntet, was man gesät hat.

Doch wenn uns jemand unfair behandelt, trösten wir uns nur selten damit, dass er damit schlechtes Karma auf sich lädt. Statt zur Tagesordnung überzugehen, verstricken wir uns in Emotionen, während der Verstand in den Hintergrund tritt.

Wenn zum Beispiel jemand herumerzählt, du wärst gewalttätig, obwohl das eindeutig nicht stimmt, bist du vielleicht beleidigt. Falls er das immer wieder macht, wirst du möglicherweise nach und nach richtig zornig. Eines Tages könntest du seine falsche Beschuldigung dann so satthaben, dass du tatsächlich mit körperlicher Gewalt reagierst. Obwohl das Gerücht, das dieser Mensch in die Welt gesetzt hat, falsch war, sieht es nach deinem Wutausbruch so aus, als hätte es gestimmt.

Wir haben bereits gelernt, dass wir uns durch Handlungen, die aus einem Gefühl mit niedriger Schwingungsfrequenz herrühren, also zum Beispiel aus Wut, nur noch mehr verletzen. Dazu gehört auch, dass wir uns damit schlechtes Karma schaffen. Lasse also nicht zu, dass das Fehlverhalten anderer deine Zukunft bestimmt.

Einsame und gelangweilte Menschen sehnen sich nach Beachtung

Wenn das eigene Leben nicht interessant ist, neigt man dazu, den Fokus auf andere zu richten. Man sucht Spannung und Beachtung, indem man zum Beispiel Hassbotschaften verfasst und damit Reaktionen provoziert. Daher sind bestimmte Arten von Memes im Internet so beliebt. Die Erfinder wünschen sich, dass andere über ihre Versuche, sich über jemanden lustig zu machen, lachen. Sie erhoffen sich dafür Likes, Shares und Kommentare – also unmittelbare Belohnung. Für kurze Zeit fühlen sie sich dann gut, ganz so, als hätten sie etwas Sinnvolles getan. Und damit komme ich zu meinem letzten Punkt:

Was die Leute über dich reden, sagt mehr über sie selbst aus als über dich

Wenn andere dich kritisieren, stellen sie sich selbst bloß. Sie zeigen damit ihre Unsicherheiten, Bedürfnisse, Denkweisen und Einstellungen, ihre Vergangenheit und ihre Begrenzungen. Gleichzeitig zeichnen sie ein deutliches Bild von ihrer eigenen Zukunft: Sie werden nämlich nicht sehr weit kommen und auch kein glückliches Leben führen, wenn sie ihre kostbare Zeit mit negativen Urteilen über andere verschwenden.

Du kannst es nicht allen recht machen

Wenn du dich ständig bemühst, andere
zufriedenzustellen, wirst du immer wieder
enttäuscht. Am Ende sind weder die anderen
zufrieden noch du selbst.

Ich hoffe, dir ist inzwischen klargeworden, dass wir vieles tun, um die Erwartungen anderer zu erfüllen. Aber wenn wir im Leben Erfolg haben und unseren Frieden bewahren wollen, müssen wir auch an uns selbst denken. Es wird uns niemals gelingen, alle Menschen zufriedenzustellen, daher sollten wir das gar nicht erst versuchen. Gib die Gewohnheit auf, es allen recht machen zu wollen, und fange an, es dir selbst recht zu machen!

Als jemand, der anderen gerne bei persönlichen Problemen hilft, fand ich es anfangs schwierig, nicht mehr alle glücklich machen zu wollen. Früher bekam ich Woche für Woche Hunderte von E-Mails, in denen die Absender mir ihre Probleme schilderten und mich um Rat baten. Natürlich wollte ich jedem Einzelnen von ihnen helfen.

Manche Leute verfassten sehr lange E-Mails, mit mehr als 2000 Wörtern. Da ich nichts davon halte, irgendetwas nur halbherzig zu tun, antwortete ich entsprechend ausführlich.

Doch eine E-Mail dieser Länge zu lesen und zu beantworten kostete mich immer viel Zeit.

Bald war es praktisch unmöglich, auf alle Mails zu reagieren, und manche Ratsuchenden wurden wütend, weil sie glaubten, ich würde sie ignorieren. Ich bekam ein furchtbar schlechtes Gewissen und fing an, mich selbst für mein Ungenügen zu bestrafen. Obwohl ich andere, drängendere Aufgaben zu erfüllen hatte, widmete ich den Antworten auf diese Mails unvernünftig viel Zeit.

Ich war überfordert. Mir wurde klar, dass ich einfach nicht alle zufriedenstellen konnte und daher auch gar nicht erst den Versuch machen sollte. Außerdem durfte ich nicht so streng mit mir sein. Es war wichtig, dass ich meine eigenen Bedürfnisse an erste Stelle setzte, und genau das tat ich dann auch. Ich habe es nie bereut.

Ich bin in einer Umgebung aufgewachsen, in der man ständig kritisiert und beurteilt wurde. Vermutlich kannst du nachvollziehen, dass mich diese Erfahrung geprägt hat. In meiner Kindheit wurde mir weisgemacht, dass bestimmte Berufe in meinem sozialen Umfeld gut ankommen würden. Falls ich mich zum Beispiel für den Arztberuf entscheiden sollte, würde ich als intelligent, wohlhabend und menschenfreundlich gelten.

Später wurde mir jedoch klar, dass man mich auch als Arzt noch kritisieren würde. Falls ich mit dreißig Jahren noch nicht verheiratet wäre, weil ich Tag und Nacht arbeitete, würde man daraus schließen, dass mit mir etwas nicht stimmte. Falls ich kein eigenes Haus besäße, würde man mir finanzielle Schwierigkeiten andichten. Falls ich Arzt würde und alles hätte, bloß keine Kinder, würden die Leute mich für unfruchtbar halten. So funktionieren soziale Gemeinschaften. Irgendjemand findet immer einen Fehler bei dir.

Manchmal wird mir vorgeworfen, ich wäre arrogant oder stur, weil ich auf die Meinungen anderer wenig Rücksicht nehme. Auch solche Schlussfolgerungen entspringen einer Grundhaltung, die andere ständig negativ bewertet.

Konstruktive Meinungsäußerungen können für unser Wachstum sehr wertvoll sein, während destruktive Bewertungen uns demoralisieren und daher keine positive Wirkung haben. Beleidigungen und harsche Kritik, die oft als «Feedback» deklariert werden, verdienen null Beachtung.

Gute Schwingungen schützen dich

*Manchmal sind negative Menschen gegen
positive Ausstrahlung allergisch. Sei so positiv,
dass sie es in deiner Nähe nicht aushalten.*

Nachdem ich mich für mehr Optimismus in meinem Leben entschieden hatte, gab ich meine schädlichen Gewohnheiten auf und bemühte mich nach besten Kräften um eine positive Lebenseinstellung. Allerdings bemerkte ich, dass das manchen Leuten, mit denen ich häufig zusammen war, nicht passte. Ihnen waren meine alten Verhaltensweisen lieber – sie wollten, dass ich wieder herumjammerte und aggressiv und überkritisch war.

Es kam mir vor, als wäre ihnen meine neue Einstellung zu positiv. Einige bezeichneten mich sogar als Heuchler. Ich verstand jedoch, warum: Ich hatte mich von einem Menschen, der immer etwas auszusetzen hatte, in jemanden verwandelt, der sich bewusst bemühte, in allem das Gute zu sehen. Ich hatte mich emotional auf eine andere Schwingungsfrequenz eingestellt. Je weiter man emotional von anderen entfernt ist, desto weniger authentisch erscheint man ihnen. Das beruht auf dem Gesetz der Schwingung. Eine solche Distanz kann dazu führen, dass zwei Menschen sich miteinander nicht mehr wohlfühlen, weil sie nicht mehr in Resonanz schwingen. Manchmal ist das ein großartiger Indikator dafür, von wem du dich fernhalten solltest.

Mit meinem neuen, positiven Verhalten stieß ich also offenbar bestimmte Leute ab. Wenn jemand grob zu mir war, reagierte ich freundlich. Ich ließ mich einfach nicht auf den Streit ein, den er anzetteln wollte. Das wirkte auf viele abschreckend, denn sie konnten sich meine Reaktion auf ihr unverschämtes Verhalten nicht erklären. Für mich war das super, denn diese Leute hatten jetzt ein viel niedrigeres Schwingungsniveau als ich und kein Interesse daran, ihre Frequenz zu erhöhen; sie fühlten sich mit ihrer zynischen Weltsicht einfach zu wohl. Unsere Energien vertrugen sich nicht mehr, und die Betreffenden verschwanden einfach aus meinem Leben. Ich brauchte mich nicht von ihnen zu distanzieren, weil sie sich von sich aus abwandten.

Trau dich, einen toxischen
Job zu kündigen

Ob du's glaubst oder nicht, du bist nicht dazu
bestimmt, dein Leben lang einen ungeliebten Job
zu machen.

Wenn du wüsstest, dass in einer bestimmten dunklen Gasse bereits mehrere Menschen ermordet wurden, würdest du sie meiden. Dir wäre klar, dass dir dort etwas Schreckliches zustoßen könnte, und das würdest du nicht riskieren wollen.

Oder ein weniger dramatisches Beispiel: Wenn du zu einem Geburtstag eingeladen bist, auf dem du jemanden treffen wirst, der dich regelmäßig verbal angreift, kannst du dich entscheiden, nicht hinzugehen und so deinen inneren Frieden zu bewahren. Du weißt, dass dein Erscheinen dort nur zu Streit führen würde.

Nun gibt es aber ähnlich toxische Umfelder, die du nicht so einfach meiden kannst. Mit am häufigsten ist das der Arbeitsplatz. Möglicherweise triffst du dort auf Leute, die dir das Leben zur Hölle machen – aber einfach zu Hause zu bleiben ist keine Option für dich.

Ich hatte das in meinem Bürojob mit dem Manager erlebt, den ich bereits erwähnt habe. Wenn ich heute auf diese Erfahrung zurückblicke, gebe ich ihm nicht allein die Schuld an seinem Verhalten. Er hatte sein eigenes Leben und bekam selbst Druck von seinen Vorgesetzten. Und ich war nicht gerade der beste Mitarbeiter, denn meine Arbeit machte mir keinen Spaß, sodass mein Engagement zu wünschen übrig ließ.

Auch wenn ich froh war, dass ich einen guten Job hatte, wies doch alles darauf hin, dass ich kündigen und etwas tun musste, was ich leidenschaftlich gern machte. Ich wusste, dass ich eine positive Einstellung in der Welt verbreiten und anderen helfen wollte, ein besseres Leben zu führen. Daher unternahm ich eines Tages den mutigen Schritt: Ich kündigte den Job und sprang ins kalte Wasser.

Es war ein großes Risiko. Ich hatte ganz wenig finanziellen Rückhalt, denn ich hatte nicht viel Geld gespart. Manche bewunderten meinen Mut, andere fanden mich wohl einfach naiv. Doch nach diesem Schritt wachte ich jeden Morgen voller Dankbarkeit auf. Ich musste zwar mit einigen finanziellen Belastungen fertigwerden, aber der Friede, den ich gefunden hatte, war unbezahlbar. Bald konnte ich meiner Leidenschaft folgen und einen LifestyleBlog starten, auf dem ich Artikel zur Persönlichkeitsentwicklung veröffentlichte.

Ich habe meine Entscheidung nie bereut und bin dankbar für die vielen Schwierigkeiten, mit denen ich konfrontiert wurde, bevor ich den Neubeginn wagte. Zum Beispiel schenkten mir die Verletzungen, die ich mir beim Arbeiten in den falschen Jobs zuzog, Weisheit und Entschlusskraft, die mir später halfen, für mich und andere ein besseres Leben zu schaffen. Dennoch ist es eher die Regel, dass man in einer schädlichen Arbeitssituation hängenbleibt. Solche Jobs können jedoch deiner psychischen Verfassung schaden und dein Wohlbefinden insgesamt stark beeinträchtigen.

Der Gedanke, einen Job aufzugeben, ist erst einmal abschreckend, auch wenn deine Arbeit dich nicht erfüllt. Meistens halten finanzielle Verpflichtungen dich davon ab, «Jetzt reicht's» zu sagen und die entsprechenden Konsequenzen zu ziehen. Wir alle sehnen uns nach Sicherheit und Bequemlichkeit, und unbekanntes Land zu betreten kann beängstigend sein. Andererseits aber kannst du dich weder auf die Sicherheit deines Arbeitsplatzes verlassen, noch hast du Kontrolle über deinen Lohn, über Gehaltserhöhungen, Beförderungen und alles andere, was mit einer abhängigen Beschäftigung verbunden ist.

Wenn du erkennst, dass du etwas Besseres verdienst als die toxische Arbeitssituation, in der du festhängst, habe den Mut, dich daraus zu lösen. Du brauchst dabei nichts zu überstürzen, doch je länger du schädlichen Einflüssen ausgesetzt bist, desto stärker sabotierst du dich selbst.

VIERTER TEIL

AKZEPTIERE DICH
SELBST

Einstieg

Da du nicht ständig für andere wichtig bist,
musst du dir selbst wichtig sein. Lerne, deine
eigene Gesellschaft zu genießen. Achte gut
auf dich. Führe positive Selbstgespräche und
unterstütze dich selbst. Deine Bedürfnisse zählen,
also verlasse dich nicht darauf, dass andere sie
erfüllen, sondern erfülle sie selbst.

Einmal fragte jemand: «Wenn ich dich bitten würde, alles aufzuzählen, was du liebst, an welcher Stelle würdest du dich selbst nennen?»

Diese Frage soll daran erinnern, dass viele von uns die Selbstliebe vernachlässigen. Ursache dafür ist ein weitverbreitetes Problem in unserer Gesellschaft: Wir sind so konditioniert, dass wir uns eher danach richten, was andere von uns denken, als unserer eigenen Meinung über uns selbst zu vertrauen.

Mit anderen effektiv zu kommunizieren und sie dazu zu bringen, dich zu mögen, wird dir helfen, deine Ziele zu erreichen. Es gibt jedoch eine grundsätzliche Frage, die du vorher klären musst: *Magst du dich selbst?*

Man lernt, die Ansichten anderer über die eigene Person

ernst zu nehmen, konzentriert sich aber nicht darauf, was man selbst über sich denkt. So entsteht eine Gesellschaft, in der jeder die anderen beeindrucken will, damit sie ihn mögen. Im tiefsten Inneren aber bleiben alle unzufrieden, weil niemand sich selbst mag.

Zugegeben, es ist toll, wenn deine Talente anerkannt werden, wenn deine Arbeit gewürdigt wird, wenn du Beifall für deine Leistungen bekommst oder wenn man dein Aussehen bewundert. In solchen Momenten erscheint uns unser Dasein gerechtfertigt. Wir fühlen uns geschmeichelt. Wir fühlen uns geliebt. Wir fühlen uns bedeutend. Das Leben ist schön.

Aber wir sind weiterhin darum bemüht, anderen zu gefallen, um unseren Wert zu beweisen. Wir bringen uns selbst finanziell in Schwierigkeiten, weil wir Dinge kaufen, die wir nicht brauchen, bloß um anderen zu imponieren, denen herzlich wenig an unserem Wohlergehen liegt. Wir verändern uns, um uns einzufügen, statt wir selbst zu bleiben und die Welt zu verändern. Wir verändern unsere natürliche Schönheit, um gesellschaftlichen Erwartungen zu entsprechen. Wir streben endlos äußere Ziele an und vernachlässigen dabei unser spirituelles Wachstum.

Liebe und Güte haben immense Kraft, und wenn wir sie anderen schenken, können wir die Welt verwandeln. Aber wir müssen auch gütig und liebevoll mit uns selbst umgehen. Statt dich zu bemühen, anders zu sein, gib dir die Erlaubnis, dich wohlzufühlen. Verwandle deine eigene kleine Welt, und du wirst die Fähigkeiten vervollkommnen, die du brauchst, um die Welt um dich herum zu einem besseren Ort zu machen.

Wenn wir uns, was sehr häufig vorkommt, nicht mit der Freundlichkeit und dem Respekt behandeln, die wir verdienen, werden wir unsicher. Das beeinträchtigt unser Selbstvertrauen, unsere Einstellung zum Leben und unsere Gesundheit. Es wird mühsam, anderen unsere Liebe so zu zeigen, wie wir es gern möchten, was sich wiederum auf die Liebesbezeigungen auswirkt, die wir selbst empfangen. Normalerweise ist man mit Menschen, die sich unbeschwert selbst akzeptieren, gern zusammen – und verliebt sich auch in sie. Aus diesem Grund ist Selbstliebe für den Aufbau dauerhafter Beziehungen ein unverzichtbares Element.

Einer jungen Frau, nennen wir sie Kierah, fehlt es an Selbstliebe. In ihrer Beziehung zu ihrem Partner Troy zeigt sie Unsicherheit, denn sie hat das Gefühl, nicht so hübsch zu sein wie die anderen Frauen in Troys Bekanntenkreis. Daher verhält sie sich aus Troys Sicht ihm gegenüber respektlos und misstrauisch. Sie kontrolliert zum Beispiel sein Handy und liest seine privaten Nachrichten. Unabhängig davon, wie sehr die beiden einander lieben, leidet ihre Beziehung, weil es Kierah an Selbstliebe fehlt. Allmählich beeinträchtigt ihr Verhalten Troys Wohlbefinden. Er betrachtet Kierahs Handlungen als Beweis dafür, dass sie ihn nicht aufrichtig liebt, und das beeinträchtigt sein eigenes Selbstwertgefühl. Ihre Beziehung gerät in eine Abwärtsspirale, und schließlich trennen sie sich.

Wenn du dich so annimmst, wie du bist, legst du den Schwerpunkt auf dein eigenes Wohlbefinden und Glück – und du findest dich damit ab, dass nicht jeder dich so akzeptiert, wie du bist. Du weißt um deinen Wert, daher macht es dir nichts aus, wenn andere ihn nicht erkennen. Und du verstehst sogar, warum andere dich nicht wertschätzen: Leider akzeptieren die meisten Menschen sich selbst nicht und suchen daher bei anderen nach Fehlern, um sich besser zu fühlen.

Damit sind wir wieder da, wo wir angefangen haben: Es ist unerlässlich, dass du dich selbst bedingungslos liebst.

Die Gedanken auf den folgenden Seiten werden deine Achtsamkeit erhöhen und dein Verständnis dafür, warum du an deinen derzeitigen Überzeugungen festhältst. Wenn dir das klargeworden ist, kannst du dein Leben sinnvoll verändern.

Schätze die Schönheit deines Körpers

Es macht Freude, sich um sich selbst zu kümmern, wenn es um die äußere Erscheinung geht. Wir sollten uns in unserer Haut stets wohlfühlen, und den Körper zu pflegen ist eine gute Angewohnheit. Schon die Tatsache, dass du überhaupt einen Körper hast, ist unglaublich. Du bist ein Spiegelbild der wunderbaren Natur.

Uns Menschen wurden sicherlich keine Regeln oder Anweisungen mitgegeben, die uns bei der Beurteilung körperlicher Schönheit helfen sollen. Nein – diese Maßstäbe haben wir selbst entwickelt, und sie werden immer wieder verändert und von den Massenmedien manipuliert.

Du kannst deine eigene Schönheit nur erkennen, wenn du Selbstliebe praktizierst. Aber ich will ehrlich sein: Es ist nicht einfach.

Da die Internetplattformen ihr Spiel mit unseren Unsicherheiten treiben, ist es schwer, sich nicht mit anderen zu vergleichen. Wir werden mit Bildern bombardiert, auf denen Menschen mit auf konventionelle Weise attraktiven Körpern zu sehen sind. Wir wissen zwar, dass die meisten dieser Fotos nicht der Wirklichkeit entsprechen, sondern bearbeitet wurden, um eine Idee, ein Produkt oder einen Traum zu verkaufen, doch wir vergessen das leicht, und dann können solche Bilder mögliche Probleme mit einem schwachen Selbstwertgefühl rasch vergrößern.

Wenn wir von den Bildern mit den angeblich «perfekten Körpern» ausgehen, finden wir am eigenen Körper immer etwas auszusetzen. Wir bekommend dauernd vorgeführt, was Schönheit ist, und wenn wir das nicht in Frage stellen, prägen diese zahllosen Botschaften eine bestimmte Definition von Schönheit in unser Unterbewusstes ein. Alles, was dieser Idealvorstellung nicht entspricht, erscheint uns dann als Makel. Häufig beeinflusst das nicht nur unsere Wahrnehmung von anderen, sondern auch unsere Wahrnehmung von uns selbst.

Ich habe das Glück, dass ich über meine Arbeit mit vielen jungen Menschen in Kontakt bin. Manche haben im Internet eine große Fangemeinde, andere sind einfach typische Teenager. Eine der Internetberühmtheiten lernte ich gut kennen. Es machte mich sehr traurig zu erfahren, dass sie wegen ihrer schnell ansteigenden Popularität eine Menge Hasskommentare bekam. Als sie einmal unbearbeitete Fotos von sich postete, geriet sie unter Beschuss, weil sie angeblich hässlich sei. Die negativen Bewertungen und der Spott setzten sie so unter Druck, dass sie sich, um ihr Image nicht zu gefährden, einer Schönheitsoperation unterzog.

Aber die Hassbotschaften hörten nicht auf. Zuerst wurde sie kritisiert, weil sie nach gesellschaftlichen Maßstäben nicht perfekt war, und dann, weil sie versuchte, dem abzuhelfen. Das Fazit liegt auf der Hand: Man kann es einfach nicht allen recht machen.

Zu jener Zeit sprach ich auch mit einer jungen Frau, die

Lass nicht zu, dass gesellschaftliche Schönheitsideale dein Selbstwertgefühl schwächen. Es gibt keinen allgemeingültigen Maßstab für Schönheit. Akzeptiere und liebe dich so, wie du bist. Deine vermeintlichen Makel sind Teil deiner Einzigartigkeit. Nimm sie an und fühle dich in deiner Haut wohl. Trage deine Unvollkommenheiten, als seien sie zeitlos modern.

diese Internetberühmtheit bewunderte. Sie gestand mir, dass sie oft verunsichert war, weil sie ihr Aussehen mit dem ihres Vorbilds verglich. Sie gab zu, dass sie sich deswegen sogar unfreundlich gegenüber anderen verhielt – sie dachte sich nichts dabei, negative Kommentare über das Aussehen anderer Internetstars zu machen, bloß weil sie nicht so schön waren wie ihr Vorbild. Ich wies sie darauf hin, dass ähnliche Kommentare der Grund gewesen waren, warum ihr Idol sich für eine Operation entschieden hatte.

Das Internet ist von einer Kultur der Negativität durchdrungen. Sie macht auch vor jenen nicht halt, die wir angeblich gernhaben. Menschen ständig miteinander zu vergleichen treibt dich in ein Netz aus negativen, lieblosen Gedanken.

Lasse nie zu, dass gesellschaftliche Schönheitsideale dein Dasein entwerten. Hinter fast all diesen Idealen stehen Unsicherheit und die Sehnsucht nach mehr Selbstvertrauen – oder aber der Wunsch, etwas zu verkaufen. Wie viele Firmen würden Bankrott machen, wenn du dich selbst ganz und gar akzeptieren würdest? Denk mal darüber nach.

Deine Hautfarbe sagt nichts über dich aus.
Die Zahl, die die Waage dir anzeigt,
sagt nichts über dich aus.
Deine Jeansgröße sagt nichts über dich aus.
Die Pickel in deinem Gesicht
sagen nichts über dich aus.
Die Erwartungen anderer
sagen nichts über dich aus.

Die Meinungen anderer
sagen nichts über dich aus.

Deine individuelle Schönheit ist nicht nach jedermanns Geschmack, und das ist in Ordnung. Es bedeutet nicht, dass du weniger schön bist als irgendein anderer Mensch. Perfektion ist subjektiv und hängt ganz von der persönlichen Wahrnehmung ab. Trage deine «Unvollkommenheiten» mit Stolz, denn sie machen dich einzigartig. Höre nie auf, deine eigene Schönheit zu bewundern.

Solltest du das Gefühl haben, lieber jemand anders sein zu wollen als du selbst, dann bist du damit nicht allein. Wenn es dir jedoch gelingt, deine eigene, einzigartige Schönheit zu erkennen und anzunehmen, dann kannst du authentisch leben und stolz auf dich sein. Eine Person, die sich selbst so akzeptiert, wie sie ist, kann die Welt inspirieren. Du kannst diese Person sein. Du kannst der Welt vorleben, wie man durch Selbstakzeptanz glücklich wird.

Vergleiche dich nur mit dir selbst

Ignoriere, was die anderen tun.
In deinem Leben geht es nicht um die anderen,
sondern um dich. Statt auf ihre Wege zu achten,
konzentriere dich auf deinen eigenen Weg,
denn dort findet deine Reise statt.

Einer der häufigsten Gründe für Kummer ist, dass wir uns mit anderen vergleichen. Ich gebe zu, dass Vergleiche mir bei vielen Gelegenheiten die Freude genommen haben. Das ging so weit, dass mein eigenes Leben mir oft peinlich war, weil es mir weniger reizvoll erschien als das Leben von anderen in meinem Umfeld. Ich weiß noch, dass ich in meiner Schulzeit nur selten Freunde nach Hause einlud, weil ich mich für unsere kleine, heruntergekommene Wohnung schämte.

In dieser Welt fällt es uns sehr schwer, uns nicht mit anderen zu vergleichen. Während einer Meditation kam mir eine Erinnerung an eine Hochzeit, auf der ich als Kind gewesen war; ich muss etwa zehn Jahre alt gewesen sein, und ich beteiligte mich an den Spielen der anderen Kinder. Ein Junge war ein paar Jahre älter als ich, er schien der Anführer zu sein.

Einmal hörten wir auf zu spielen, und dieser Anführer

sah sich genau an, was wir alle anhatten. Er selbst trug sehr schicke, teure Designerklamotten. Er machte ganz gemeine Bemerkungen über die Kleidung der anderen Kinder. Als er sich dann mir zuwandte, bekam ich Angst. Meine Kleidung war alles andere als teuer, und ich wollte nicht, dass er mich vor den anderen verspottete und als armen Schlucker hinstellte. Das wäre mir peinlich gewesen, zumal ich ohnehin wegen meines Zuhauses verunsichert war.

Doch ich hatte Glück. Wir wurden abgelenkt, und so entging ich seiner Kritik. Die Angst, wegen meines offensichtlichen Geldmangels abgewertet zu werden, sollte mich allerdings nicht mehr verlassen. Sie wurde nur noch größer, als ich älter wurde. An bestimmten Tagen, wenn wir keine Schuluniform tragen mussten, sondern zur Schule anziehen konnten, was wir wollten, wurden Kinder, die keine Markenklamotten trugen, oft gehänselt.

Wie meine Mutter mit drei Kindern und einem Mindestlohn-Job es schaffte, weiß ich nicht, aber sie sorgte dafür, dass wir nie in diese Lage kamen. Doch wenn ich Nike-Schuhe trug, waren es die billigsten, die man kaufen konnte. Immer wieder guckte ich zu den Kindern mit den teuren Schuhen und fühlte mich arm und bedeutungslos. Ich wollte auch haben, was sie hatten. Solche Momente erinnerten mich an alles, was mir fehlte.

Kinder können die Angewohnheit, sich mit anderen zu vergleichen, von ihren Eltern übernehmen. Eltern wollen das Beste für ihre Kinder, daher stellen sie andere Kinder vielleicht als leuchtende Vorbilder hin, um ihren eigenen Nachwuchs zu motivieren. Zum Beispiel können sie sagen:

«Saira hat immer glatte Einsen in ihren Prüfungen. Mit ihrer Intelligenz hat sie eine großartige Zukunft vor sich.»

Auch wenn diese Bemerkung vielleicht nicht in böser Absicht gemacht wurde, kann sie die Fähigkeiten eines Kindes abwerten – insbesondere dann, wenn es für seine eigenen Leistungen nicht gelobt wird. Bei direkten Vergleichen kann ein Kind sich erniedrigt und wertlos fühlen. Sätze wie «Du solltest so gescheit sein wie Saira» sind für das kindliche Selbstwertgefühl äußerst schädlich und können dazu führen, dass ein Kind sein Leben lang glaubt, es wäre nicht gut genug.

Das Markenmarketing verleitet uns dazu, ständig Vergleiche zu ziehen. Du liegst nicht voll im Trend, wenn es nicht Apple ist, du bist nicht erfolgreich, wenn es nicht Mercedes ist, und du bist nicht modebewusst, wenn du nicht irgendwas trägst, was ein A-Promi anhatte. Das wird dir durch raffinierte Marketingstrategien suggeriert, die sich Angst und ein schwaches Selbstwertgefühl zunutze machen.

Wenn wir Vergleiche ziehen, blicken wir immer auf diejenigen, denen es unserer Ansicht nach besser geht als uns. Nur selten betrachten wir Menschen, die vor größeren Problemen stehen als wir selbst. Daher sind wir nie dankbar für das, was wir haben.

Sich bei anderen Inspiration zu holen ist gut, aber man darf Inspiration nicht mit Neid verwechseln.

Auch die rasante Verbreitung der sozialen Medien erweist sich als problematisch. Immer jüngere Altersgruppen, aber auch Erwachsene tauchen inzwischen tief in diese Welt ein, ohne zu erkennen, dass dort ein rosarot gefärbtes Leben als Wirklichkeit verkauft wird. Und mit diesen fiktiven Figuren vergleichen sie sich dann.

Ich habe die Erfahrung gemacht, dass Paare, die kurz vor der Trennung stehen, manchmal eine Vielzahl von Fotos posten, die ihre Liebe beweisen sollen, damit niemand merkt, was sie durchmachen, und sie dafür kritisiert. (Es ist unwahrscheinlich, dass solche Paare stattdessen ihre Streite und Meinungsverschiedenheiten online teilen. Niemand sagt mitten in einer Auseinandersetzung: «Warte mal eben, ich will ein Foto von uns machen.») Ihre Follower schreiben dann Kommentare, in denen sie sich über die vorbildliche Beziehung äußern und wünschen, auch sie könnten in einer so idealen Partnerschaft leben – hier werden also wieder Vergleiche gezogen. Dabei haben die Follower keine Ahnung, was hinter den Kulissen vor sich geht. Auf einem Foto ist manchmal wenig oder nichts von der Wirklichkeit zu sehen.

Außerdem habe ich erfahren, dass manche dieser Internetpartnerschaften eingegangen werden, weil die Beteiligten sich davon Gewinn versprechen – zum Beispiel, dass ihr Profil bekannter wird. Bei manchen Paaren scheint die Liebe zur Kamera größer zu sein als die Liebe zueinander. Trotzdem aber verkaufen ihre Schnappschüsse sich gut.

Das eigene Leben mit dem Leben von Leuten zu vergleichen, die wir nur online kennen, ist Energieverschwendung, denn normalerweise teilen sie im Internet ausschließlich Fotos, auf denen sie attraktiv, glücklich und erfolgreich aussehen, nicht aber müde, ängstlich oder einsam.

Ich habe Leute kennengelernt, die in der Realität ganz anders wirkten als in den sozialen Medien. Mit Hilfe von Filtern und inspirierenden Bildunterschriften wird die Wahrheit verzerrt, sodass alles schöner aussieht, als es ist. Wir alle wissen das, vergessen es aber leicht.

Wenn jemand Fotos oder Videos von seinem wunderbaren Leben teilt, weißt du außerdem noch lange nicht, was derjenige durchgemacht hat, um an diesen Punkt zu gelangen. Jeder Triumph hat ihn vielleicht Blut, Schweiß und Tränen gekostet. Selbst manche der Berühmtheiten, die online ständig frisch verliebt erscheinen, wurden in ihrer Vergangenheit abgelehnt. Für jedes hinreißende Foto wurden möglicherweise 50 andere gelöscht.

Die sozialen Medien sind reizvoll für uns, weil wir dort über Likes, Kommentare und Abonnements unmittelbar Werturteile abgeben können. Während wir in den sozialen Medien unterwegs sind, schüttet das Gehirn Dopamin aus, ein Wohlfühlhormon (das auch mit der Entstehung von Süchten zu tun hat). Hast du dir einmal überlegt, dass du dein Leben vielleicht mit dem Leben von Menschen vergleichst, die die sozialen Medien nutzen, um eine Leere in sich selbst zu füllen, weil sie vergessen haben, wie man Selbstliebe praktiziert?

Hier geht es nicht darum, was andere online tun oder teilen. Es geht nicht darum, was sie im Leben vorhaben oder was sie erreicht haben. Nein, es geht um dich. Du selbst bist dein Konkurrent. Dich selbst zu übertreffen ist deine tägliche Aufgabe, und darauf sollten deine Vergleiche abzielen: auf den Menschen, der du gestern warst. Wenn du die beste Version deiner selbst sein willst, musst du dich auf dein eigenes Leben und deine eigenen Ziele konzentrieren.

Mit anderen zu konkurrieren fördert Bitterkeit,
nicht Verbesserung.

Keine Lebensreise gleicht der anderen, und auch du gehst deinen eigenen Weg. Wir alle bewegen uns in unserem individuellen Tempo durchs Leben und erreichen die verschiedenen Lebensphasen zu unterschiedlichen Zeiten. Jemand anders ist vielleicht schon beim Höhepunkt seiner Vorstellung angelangt, während du dich noch hinter den Kulissen auf deinen Auftritt vorbereitest. Das heißt jedoch nicht, dass du nicht auch deine Chance bekommen wirst, die Bühne zu betreten und eine Glanzrolle zu spielen.

Schaue dir das Leben anderer Leute an und applaudiere ihnen bei Erfolgen. Dann kümmere dich wieder um dich selbst. Sei dankbar für das, was du in diesem Moment hast. Und während du weiter an der Verwirklichung deiner Träume arbeitest, denke daran, wie weit du bereits gekommen bist.

Würdige deine innere Schönheit

Wie oft hörst du, dass Menschen wegen ihres Denkens oder ihrer guten Taten als schön bezeichnet werden? Das kommt ziemlich selten vor, insbesondere wenn man bedenkt, wie häufig dieses Kompliment das Aussehen betrifft. Die Bezeichnung «schön» wird zu oft aus oberflächlichen Gründen vergeben. Dabei werden die Menschen übersehen, die innere Schönheit ausstrahlen: bedingungslose Liebe und Güte. Der Grund dafür ist, dass solche Eigenschaften für Menschen, die oberflächlichen Erfolg suchen, leider nicht interessant sind.

Viele von uns verändern immer wieder ihre äußere Erscheinung, weil sie sich nach den Schönheitsidealen richten, die in der Gesellschaft gerade gepriesen werden – doch ihre Einstellung und ihre Handlungsweise verändern sie deutlich seltener.

Sobald wir uns bemühen, Menschen öfter wegen ihrer freundlichen Art als schön zu bezeichnen, sind wir auch selbst stärker motiviert, unser Verhalten zu verändern. Schönheit ist so viel mehr als gutes Aussehen.

Wenn du einen Menschen körperlich attraktiv findest, heißt das noch nicht, dass du Energie in ihn investieren solltest. Du musst auch sein Herz, seinen Verstand und seine

Seele schön finden. Ein Sportwagen der Luxusklasse ist nicht zu gebrauchen, wenn er keinen Motor hat – und das Gleiche gilt für jemanden, der dir ausschließlich physisch schön erscheint. Solange dieser Mensch deine inneren Werte nicht teilt, wird es schwierig sein, weiter mit ihm durchs Leben zu gehen.

Äußere Schönheit befriedigt nur körperliche Bedürfnisse, weiter nichts. Nur wer wirklich Substanz hat, kann Herz, Verstand und Seele eines anderen Menschen befriedigen.

Wahre Schönheit ist oft nicht auf den ersten Blick zu erkennen. Sie liegt unter der Haut. Unsere Körper verändern sich, die innere Schönheit aber kann ein Leben lang bestehen bleiben. Sie macht deinen eigentlichen Wert aus, und daher ist es so wichtig, dass du Zeit darauf verwendest, deinen Charakter zu formen. Eine Schönheitsoperation kannst du kaufen, aber eine neue Persönlichkeit ist für Geld nicht zu haben. Mit deinem Aussehen magst du viele Leute anziehen, einen großartigen Menschen jedoch kannst du nur mit deinen inneren Werten festhalten.

Feiere deine Erfolge

*Wir glauben, Erfolg zu haben hieße, berühmt und
reich zu sein. Aber wenn du es mit eigener Kraft
schaffst, aus einem tiefen Loch herauszukommen,
erringst du allein damit schon einen großen
Erfolg – so wie jedes Mal, wenn du nicht aufgibst,
sondern durchhältst.*

Hast du gewusst, dass du jeden Tag Großartiges leistest?
Vermutlich erscheint dir das gar nicht so, weil du immer
schon weiter auf das nächste Ziel blickst. Trotzdem, vieles
von dem, was du mittlerweile erreicht hast, hast du dir in
der Vergangenheit erträumt. Du hast bloß den Augenblick,
in dem diese Träume Realität wurden, nicht bewusst erlebt,
oder aber das Erträumte war zu schnell wieder vorbei.

Natürlich sollten wir uns nicht auf unseren Erfolgen ausruhen und selbstzufrieden aufhören, weitere Fortschritte zu
machen, aber wir sollten uns Zeit nehmen, unsere Erfolge
zu feiern. Andernfalls schaust du irgendwann auf dein Leben
zurück und hast das Gefühl, nichts geleistet zu haben. Das
würde allerdings bedeuten, dass sich in deinem Leben nie
etwas verändert hätte.

Wir sind zu streng mit uns selbst. Wir erinnern uns an

alles, was verkehrt war, denken aber kaum jemals an das, was wir richtig und gut gemacht haben. Kommt dir das bekannt vor? Wenn ja, bist auch du zu selbstkritisch.

Ab und zu musst du dir selbst auf die Schulter klopfen. Du hast manche Ziele erreicht, obwohl andere gesagt haben, das würdest du niemals hinkriegen. Dir sind sogar Dinge gelungen, von denen du selbst geglaubt hast, sie wären eine Nummer zu groß für dich. Sei stolz auf dich. Du hast hart gekämpft, um dahin zu gelangen, wo du heute bist. Das anzuerkennen schenkt dir Zufriedenheit und erhöht deine Schwingungsfrequenz.

Achte deine Einzigartigkeit

Deine Individualität ist ein Segen, keine Last.
Wenn du dich bemühst, wie alle anderen zu sein,
wird dein Leben niemals großartiger. Wer sich an
der Masse orientiert, wird Teil von ihr und ragt
nicht heraus. Wer den gleichen Weg geht wie alle
anderen, bekommt auch nur das zu sehen, was
sie zu sehen bekommen.

Als Kinder werden wir immer wieder daran erinnert, dass wir alle Individuen sind und uns nicht schämen sollten, wir selbst zu sein. Wir werden ermutigt, unsere wildesten Träume zu verfolgen! Aber wenn wir älter werden, schrumpft die Welt unserer Möglichkeiten. Dann heißt es: «Ja, sei du selbst … aber doch nicht so!», oder: «Du kannst alles auf der Welt werden … aber *das* ist nicht der richtige Weg.»

Der Begriff des *social proof*, der aus der Psychologie stammt und sich etwa als «sozialer Beweis» übersetzen lässt, bezeichnet die Tatsache, dass Menschen sich gern wie die Masse verhalten. Wenn alle anderen etwas Bestimmtes tun, betrachtet man das als Beweis dafür, dass es richtig ist. Andere Leute beeinflussen deine Handlungen also mehr, als dir bewusst ist. Wenn du dich zum Beispiel zwischen zwei neuen Bars entscheiden solltest und sehen würdest, dass die eine brechend voll ist, während in der anderen gähnende Leere herrscht, würdest du annehmen, das leere Lokal tauge nichts und das beliebte sei viel besser. Aber dass die Mehrzahl der Barbesucher offenbar dieser Meinung ist, heißt noch nicht, dass sie richtig ist.

Beginne, dein Handeln und deine Meinungen zu hinterfragen. Warum tust du das, was du tust, und wählst das, was du wählst? Hältst du es wirklich für richtig, oder folgst du der Masse? Solltest du feststellen, dass deine Entscheidungen häufig von den Ansichten anderer diktiert werden, dann weißt du jetzt, dass du die Herrschaft über dein Leben abgegeben hast. Doch wenn wir keine Kontrolle mehr über unser Leben haben, geraten wir in Panik und landen in niedrigen Schwingungsbereichen, etwa in Angstfrequenzen. Letztlich liegt es dann nicht mehr in unserer Hand, wie viel Freude wir im Leben haben, denn wir richten uns sklavisch nach den Meinungen anderer.

Angst und Mangel sind weitverbreitete Mittel, um eine Gesellschaft unter Kontrolle zu halten. Ich kenne viele Menschen, die nicht das Leben führen, das sie selbst gewählt hatten, sondern ein Leben, das andere ihnen unter dem Deckmäntelchen gutgemeinter Anleitung und Unterstützung aufgedrängt haben. Manche Menschen wollen tatsächlich dein Bestes, erkennen aber möglicherweise gar nicht, was für dich das Beste wäre. Zudem kann es sein, dass die Entscheidungen, die sie für dich treffen, auf Ängsten beruhen, die von anderen an sie weitergegeben wurden.

Du solltest niemals das Gefühl haben, dass du dein Leben

nach den Grundsätzen anderer führst. Du solltest auch nicht das Gefühl haben, dass du alle Erwartungen erfüllen oder dein Leben auf bestimmte Weise führen musst, um Bestätigung zu erhalten. Du solltest nicht davor zurückschrecken, der Mensch zu sein, der du wirklich bist, und deine Einzigartigkeit zu leben.

> *Du wirst in jedem Fall beurteilt – ob du dein Leben nun nach den Vorstellungen anderer Leute lebst oder nach deinen eigenen.*

Jemand hat mal gesagt, einem Tiger würden die Meinungen der Schafe keine schlaflosen Nächte bereiten. Der Tiger lässt sich durch die Kritik von Tieren, deren Verhalten durch soziale Konditionierung geprägt ist, nicht beeinflussen. Das Schaf hingegen sucht ständig nach Bestätigung, es ändert seine Richtung zusammen mit der Herde und gibt seine Identität auf.

Sage zehnmal laut das Wort «weiß».

Und jetzt beantworte die Frage: «Was trinkt die Kuh?»

Hast du gerade «Milch» gesagt?

Falls du wirklich «Milch» gesagt hast, bist du einem Effekt zum Opfer gefallen, der in der Psychologie als «semantisches Priming» bezeichnet wird. Ich habe dich auf eine bestimmte Antwort vorbereitet, von der du eigentlich weißt, dass sie falsch ist. Ein weiteres Beispiel: Wenn du gerade ein Bild von einer Pizza gesehen hast oder hungrig bist, wirst du das Lückenwort «–uppe» eher zu «Suppe» ergänzen als zu «Puppe».

Du kannst entweder auf die Masse hören
und im Publikum untertauchen,
oder du kannst auf deine Seele hören
und selbst auf der Bühne stehen.

Das Priming kann außerdem Hinweise geben, die dem Gedächtnis auf die Sprünge helfen, ohne dass uns die Verbindung bewusst wird. Es ist also möglich, Menschen so zu beeinflussen, dass sie auf bestimmte Weise denken und handeln, ohne dass sie diese Beeinflussung bemerken. Genau das tun Marketingagenturen, um die Verkaufszahlen ihrer Auftraggeber zu erhöhen.

Authentizität ist heutzutage selten. Vieles tun wir nur auf Empfehlung anderer. Ich will dir keine Angst einjagen, aber wir lassen uns leicht darauf programmieren, die Bedürfnisse eines anderen Menschen – oder eines Konzerns – zu erfüllen.

Lass dir deine Individualität nicht nehmen, bloß um dich in die Gesellschaft einzufügen. Nimm deine Einzigartigkeit an. Hält man dich häufiger für sonderbar? Super! Das liegt einfach daran, dass du in keine Schublade passt. Uns wird der Glaube eingeimpft, dass etwas mit uns nicht stimmt, wenn wir den Erwartungen der Gesellschaft nicht entsprechen. Doch wer möchte sich gern von Schubladen einengen lassen, die einzig und allein in den Köpfen der Leute existieren? Ich nicht!

Wir können uns selbst immer weiter verbessern und als Individuen wachsen. Wir können unsere Komfortzone verlassen und uns selbst herausfordern. Doch die Gesellschaft gibt uns häufig das Gefühl, verkehrt zu sein, einfach weil wir unsere Individualität leben.

Sie werden dich schweigsam nennen,
weil du Schweigen zu schätzen weißt.

Sie werden dich schwach nennen,
weil du Konflikte und Drama meidest.

Sie werden dich besessen nennen,
weil du mit Leidenschaft tust, was du liebst.

Sie werden dich unhöflich nennen,
weil du auf leere Floskeln keinen Wert legst.

Sie werden dich arrogant nennen,
weil du dich selbst achtest.

Sie werden dich langweilig nennen,
weil du nicht extrovertiert bist.

Sie werden sagen, du irrst dich,
weil du andere Überzeugungen vertrittst.

Sie werden dich schüchtern nennen,
weil Smalltalk dir wenig bedeutet.

Sie werden dich sonderbar nennen,
weil du dich sozialen Trends nicht anpasst.

Sie werden dich als Heuchler bezeichnen,
weil du dein Bestes tust, um positiv zu bleiben.

Sie werden dich als Eigenbrötler bezeichnen,
weil du dich mit dir selbst wohlfühlst.

Sie werden sagen, du hättest dich verirrt,
weil du einen anderen Weg gehst als die Masse.

Sie werden dich als Streber bezeichnen,
weil du auf der Suche nach Erkenntnis bist.

Sie werden dich hässlich nennen,
weil du dich zeigst, wie du bist.

Sie werden dich dumm nennen,
weil du kein Akademiker bist.

Sie werden dich verrückt nennen,
weil du anders denkst als der Mainstream.

Sie werden dich geizig nennen,
weil du weißt, ob etwas sein Geld wert ist.

Sie werden dich treulos nennen,
weil du zu negativen Menschen auf Distanz gehst.

Lass sie sagen, was sie wollen. Du brauchst nicht die Rolle zu spielen, die die Gesellschaft dir aufdrängen möchte. Gestalte deine Rolle in der Welt selbst.

Sei freundlich und vergib dir selbst

Vergib dir, dass du schlechte Entscheidungen getroffen hast, dass dir manchmal der Glaube an dich selbst fehlte, dass du andere und dich selbst verletzt hast. Vergib dir die Fehler, die du gemacht hast. Das Wichtigste ist, dass du deine Denkweise positiv veränderst und in Zukunft entsprechend handelst.

Wie oft registrierst du, dass du deine Intelligenz in Frage stellst, weil du einen Fehler gemacht hast? Stellst du dir gelegentlich entmutigende Fragen wie «Warum kriege ich das nicht hin?», «Warum bin ich so hässlich?» oder «Warum versage ich immer wieder?».

Die innere Stimme kann sehr kritisch sein. Die Annahmen, die in solchen und ähnlichen Fragen enthalten sind, werden einfach als Wahrheiten vorausgesetzt. Das ist eine sehr effektive Methode, um dich selbst fertigzumachen.

Sorge dafür, dass die Stimme in deinem Kopf immer freundlich mit dir spricht. Du wirst im Leben vielen Menschen begegnen, die dich schlechtmachen wollen, aber du selbst solltest das auf keinen Fall tun. Du kannst von anderen nicht erwarten, dass sie freundlich zu dir sind, wenn du nicht auch selbst freundlich mit dir umgehst. Du musst dein inneres Selbstgespräch so verändern, dass es dich im Leben unterstützt. Statt dir einzureden, du seist blöd, weil du einen Fehler gemacht hast, sage dir, dass Irren menschlich ist und dass du es beim nächsten Mal besser machen wirst.

Deine Worte besitzen schöpferische Energie – mit diesem Gedanken werden wir uns im nächsten Teil ausführlicher beschäftigen. Sie haben ungeheure Kraft und können dich in deinen Erfahrungen entweder unterstützen oder aber einschränken. Wenn du Worte verwendest, die dich herabsetzen, trübst du dein Glück.

Bestrafst du dich heute noch für Fehler, die du als Kind gemacht hast? Die Antwort lautet meistens nein, denn uns ist klar, dass wir damals jung und naiv waren. Außerdem haben die meisten von uns aus ihren früheren Fehlern gelernt. Diese Fehler haben uns geholfen, besser zu werden. Genauso solltest du dir auch Fehler verzeihen, die dir erst kürzlich unterlaufen sind.

Jeder einzelne Fehler kann dir helfen, dich zu verbessern. Aber um wirklich daraus zu lernen, musst du zuerst aufhören, dir vorzuwerfen, dass du etwas verkehrt gemacht hast. Du bist nur ein Mensch, und das Leben steht dir weiterhin offen, ganz unabhängig davon, wie sehr du versagt hast. Bestrafe dich nicht für das, was du getan oder unterlassen hast, sondern konzentriere dich stattdessen darauf, was du besser machen kannst.

Dass du dich selbst bestrafst, macht die Situation nicht besser. Wichtig ist, was du als Nächstes anstrebst.

Hast du schon mal erlebt, dass jemand, den du lange nicht gesehen hast, dir sagt: «Du hast dich so verändert!»? Falls er aber kurz vor eurem Wiedersehen mit jemand anders über dich gesprochen hat, ging es wahrscheinlich um jene Version von dir, die er noch aus der Vergangenheit kannte.

Vermutlich warst du früher ein anderer Mensch. Wenn jemand dich also aufgrund deiner Vergangenheit beurteilt, ist das sein Problem. Solche Leute leben in einer Welt, die nicht mehr existiert. Wenn sie nicht begreifen, dass Menschen wachsen und reifen, vernachlässigen sie vermutlich ihr eigenes Wachstum. Lasse nicht zu, dass jemand deine Vergangenheit als Vorwand benutzt, um negativ über dich zu urteilen – er oder sie versucht damit nur, dich daran zu hindern, eine glückliche Zukunft aufzubauen.

Ebenso wichtig ist es natürlich, dass du selbst die Vergangenheit loslässt. Vielleicht wurde dir früher etwas angetan, was dir unverzeihlich erscheint. Möglicherweise hast du inzwischen sogar vergessen, was es war, weißt aber noch ganz genau, wie du dich dabei gefühlt hast. Wenn du an diesen bitteren Gefühlen festhältst, wird sich das schädlich auf deine Stimmung auswirken und deine Schwingungsfrequenz senken. Indem du anderen vergibst, kannst du zwar nicht die Vergangenheit verändern, aber du erleichterst dir die Gegenwart und die Zukunft. Du schenkst dir größeren Frieden und baust innerlich mehr positive Energie auf.

Wer Menschen, die ihn verletzt haben, nicht vergeben kann, bleibt weiterhin ihr Opfer. Stell dir vor, du hast dich mit jemandem heftig gestritten, weil er dich betrogen hat. Anfangs bist du stinksauer und gekränkt. Du beendest die Beziehung zu diesem Menschen, und irgendwann vergisst du die ganze Sache – bis du ihn wiedersiehst. An diesem Punkt erlebst du nach, was er dir angetan hat, und dein Schmerz kehrt zurück, weil du ihm noch nicht vergeben hast. Das trübt deine Lebensfreude und könnte sogar dazu führen, dass du destruktive Entscheidungen triffst.

Jemandem zu vergeben heißt nicht, sein schlimmes Verhalten zu billigen, und es heißt auch nicht immer, dass du die betreffende Person wieder in dein Leben aufnimmst. Es bedeutet schlicht, nicht mehr zuzulassen, dass sie deine Gedanken und Gefühle beherrscht. Damit hat dieser Mensch dann auch keinen Einfluss mehr auf deine Zukunft.

FÜNFTER TEIL

ZIELE VERWIRKLICHEN: GEDANKENARBEIT

Einstieg

Was immer der menschliche Geist
sich vorstellen und woran er glauben kann,
das kann er auch vollbringen.

NAPOLEON HILL

Wenn du deine Ziele verwirklichen willst, ist es wichtig, dass du eine hohe Schwingungsfrequenz beibehältst. Die Schwingungsfrequenz deiner Gefühle wird dir stets auf irgendeine Weise zurückgespiegelt, daher ist es unerlässlich, dass du alles beherrschst, was du in den vorangegangenen Abschnitten dieses Buches gelernt hast.

Auf den folgenden Seiten wollen wir uns noch einmal genauer mit unseren Überzeugungen auseinandersetzen – man spricht hier auch von Glaubenssätzen –, da diese einen großen Einfluss auf unsere Gefühle und unsere Schwingungsfrequenz haben. Wenn du nicht an deine Ziele glaubst, wirst du sie wahrscheinlich auch nicht erreichen. Daher wollen wir uns jetzt Zeit nehmen, um die Bedeutung unserer Glaubenssätze zu erkunden und zu sehen, wie sie unsere Wirklichkeit beeinflussen.

Die Kraft des positiven Denkens

*Positives Denken bedeutet, dass du dich für
Gedanken entscheidest, die dir Kraft geben, statt
für Gedanken, die dich einschränken.*

Ich bin sicher, dass eine positive Denkweise ein positives Leben zur Folge hat. Lass uns diese Behauptung einmal rein logisch analysieren, ohne mystisches Beiwerk. Wenn du etwas als negativ betrachtest, wie kann es dann gleichzeitig positiv sein? Entsprechend stellt sich die Frage: Wie kann man mit einer negativen Haltung zum Leben das Leben positiv bewerten?

Eine positive Denkweise ist fruchtbarer als eine negative. Positives Denken bedeutet, Gedanken und Handlungen auszuwählen, die uns unterstützen, statt uns zu behindern. Es sorgt in jeder Situation für das bestmögliche Ergebnis.

Ein Beispiel: Ein Schlagmann beim Kricket muss mit dem letzten Ball sechs Punkte erzielen, um ein Spiel zu gewinnen. Wenn er Angst hat und glaubt, er könne den Ball nicht weit genug schlagen, wird er es wahrscheinlich gar nicht erst richtig versuchen und es folglich auch nicht schaffen. Wenn er jedoch einen stärkenden Satz denkt, etwa *Ich kann sechs Punkte erzielen*, dann wird er sich anstrengen und die Chance haben, dass es klappt. Auch in diesem Fall kann es natürlich passieren, dass er den Ball nicht trifft und ausscheidet – aber seine Haltung ist eine andere. Der stärkende Gedanke eröffnet eine Möglichkeit, während der einschränkende Gedanke von vornherein alle Chancen zunichtemacht.

Ein negativer Gedanke wie *Ich kann das nicht* nimmt dir den Mut, Schritte zu unternehmen, um dein Ziel zu erreichen. Und damit wird es natürlich viel unwahrscheinlicher, dass du irgendwann dort ankommst.

Ein positiver Gedanke wie *Ich schaffe das* erlaubt dir dagegen, es zu versuchen, und gibt dir damit eine größere Chance, dein Ziel zu verwirklichen.

Der eine Gedanke behindert dich, während der andere dir hilft, auf das zuzugehen, was du dir wünschst.

Wenn man etwas für unmöglich hält, heißt das, dass man sich zu sehr auf die Hindernisse konzentriert, die dem Erfolg im Wege stehen. Ich erinnere mich, wie mir einmal ein Junge erzählte, er könne niemals Spitzenfußball spielen und wolle diesen Traum daher aufgeben. Er meinte, wenn er seine Lebensumstände betrachte, halte er dieses Ziel für unrealistisch. Von seinem Standpunkt aus war der Spitzenfußball unerreichbar fern.

Sein Freund spielte etwa auf dem gleichen Niveau wie er, hatte aber eine vollkommen andere Einstellung. Als ich den optimistischeren Jungen fragte, warum er glaube, er könne in den Spitzenfußball aufsteigen, erzählte er mir von anderen Fußballern und ihren Erfolgsgeschichten. Er betrachtete die Aufgabe als lösbar, weil er sich auf das Mögliche konzentrierte, nicht auf das Unmögliche.

Ich selbst tue das ständig, um mir Hoffnung zu machen und mein inneres Glaubenssystem zu verändern. In der Zeit, als ich kein Zuhause hatte, hätte ich vieles von dem, was ich seitdem erreicht habe, als unrealistisch betrachten können. Aber ich ließ mich von anderen inspirieren, die ebenfalls einen schwierigen Start im Leben hatten, jedoch Unglaubliches erreichen konnten. Ich sagte mir: «Wenn die das geschafft haben, kann ich das auch.» Mit der Zeit verschob ich meinen Fokus immer mehr auf das Machbare. Alle großen Leistungen auf der Welt haben ihre Wurzeln in der Vorstellung, dass sie möglich sind.

Jeder einzelne deiner Gedanken hilft dir entweder, im Leben vorwärtszukommen, oder aber er bremst dich. Beim positiven Denken geht es darum, solchen Gedanken den Vorzug zu geben, die dich weiterbringen. Und keine Sorge: Es ist nie zu spät, deine Denkweise zu verändern und deine Glaubenssätze so umzuformulieren, dass sie dich unterstützen.

Mit Gedanken, die dich behindern,
kannst du keine Fortschritte machen.

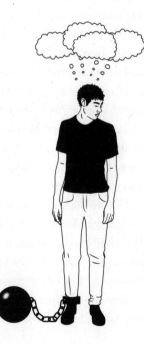

Deine Denkweise ist deine Realität

«Ob du glaubst, du kannst es, oder ob du glaubst,
du kannst es nicht, du hast recht.»
HENRY FORD

Vor über 200 Jahren hat der Philosoph Immanuel Kant darauf hingewiesen, dass unsere Erfahrungen, darunter auch sämtliche Sinneswahrnehmungen, sich nur in unserem Geist abspielen. Unsere Realität beruht ausschließlich auf unserer individuellen Wahrnehmung.

Überlege einmal: Wenn du 100 Menschen bittest, auf fünf verschiedene Arten einen Felsen zu beschreiben, könnte jemand, der diese Beschreibungen hört, glauben, es handle sich um 500 verschiedene Felsen. Dabei ist es natürlich immer der gleiche Felsen, der aber auf 500 Arten wahrgenommen wurde.

Unsere Wahrnehmung der Welt wurzelt in unseren Überzeugungen. Diese Überzeugungen sind unsere individuellen Wahrheiten, die unsere subjektive Realität bilden. Im Grunde beruht unser ganzes Denken und Fühlen auf Glaubenssystemen. Ein Glaubenssatz ist eine subjektive Gewissheit in Bezug auf einen bestimmten Gegenstand. Wir leben auf der Grundlage von Überzeugungen, die wir durch unsere

Erfahrungen und die Ansammlung von Wissen erworben haben. Logischerweise sehen wir die Welt daher alle unterschiedlich.

Für unser persönliches Wachstum ist es sinnvoll, für die Überzeugungen anderer offen zu sein. Wir sollten unsere eigenen Glaubenssätze ändern, wenn wir uns sicher sind, dass eine andere Einstellung uns besser stärken kann. Doch wir sollten die Überzeugungen anderer keinesfalls bloß übernehmen, um ihnen zu gefallen. Sinnvoll sind daher Fragen wie: «Helfen meine Überzeugungen mir, ein Leben zu leben, das ich wirklich liebe?» und: «Wie viele meiner Überzeugungen sind wirklich meine eigenen – und wie viele habe ich von anderen übernommen?»

> *Deine Denkweise formt deine Realität.*
> *Wenn dir also das nächste Mal jemand sagt,*
> *dein Ziel sei unrealistisch und du solltest auf*
> *den Boden der Tatsachen zurückkehren, mache*
> *dir klar, dass er nur über seine eigene Realität*
> *spricht, nicht über deine.*

An etwas zu glauben ist der Schüssel dazu, es Wirklichkeit werden zu lassen. Wenn du nicht an dein Ziel glaubst, ist es für dich nicht wahr und kann daher nicht zu deiner Realität werden.

Wer negative Erfahrungen befürchtet, macht tatsächlich negative Erfahrungen, das wissen wir vom Gesetz der Schwingung. Solche negativen Erlebnisse bestärken uns wiederum in unseren anfänglichen Überzeugungen. Und so kann eine negative Überzeugung sich immer wieder von neuem bewahrheiten, es sei denn, du entschließt dich dazu, deine Glaubenssätze zu ändern.

Das Unterbewusste verstehen

*Für deine Überzeugungen ist dein
Unterbewusstes verantwortlich. Du kannst nur
das wahrnehmen, was dein Unterbewusstes
als wirklich betrachtet.*

Der bewusste Verstand produziert Gedanken, während die Tätigkeit des Unterbewusstseins im Aufnehmen besteht. Dein Bewusstsein ist dein Garten, und dein Unterbewusstsein gleicht der tiefen, fruchtbaren Erde. In diese Erde können die Samen des Erfolgs und des Misserfolgs gesät werden, denn sie unterscheidet nicht. Dein bewusster Verstand hingegen spielt die Rolle des Gärtners und sucht aus, welche Samen in den Boden gelangen.

Die meisten von uns lassen zu, dass sowohl gute als auch schlechte Samen auf die fruchtbare Erde fallen. Ängstliche, neidische und machthungrige Personen können schädliche Samen in dein Unterbewusstes einpflanzen. Sie können ständig Sätze wiederholen wie «Hör auf zu träumen» und «Sei doch realistisch», und weil das Unterbewusste nicht bewertet, formen sie auf diese Weise vielleicht nach und nach deine Überzeugungen um und begrenzen dein Potenzial.

Tief verwurzelte Denkmuster, die aus unerwünschten

Vorstellungen abgeleitet wurden, lenken dich von deinen wahren Lebenszielen ab. Doch wenn du den Lärm der Außenwelt ausschaltest, wirst du erkennen, dass du alles verwirklichen kannst, was du dir vornimmst

Verwandle deine Gedanken

Wenn du eine Situation nicht verändern kannst,
verändere deine Art, sie wahrzunehmen. Da liegt
deine persönliche Macht. Entweder lässt du dich
beherrschen – oder du herrschst selbst.

Ich bin in einer ziemlich rassistischen Umgebung aufgewachsen. Oder sagen wir so: Wenn ich draußen spielen wollte, wie die Kids es damals taten, verbrachte ich die erste halbe Stunde damit, mich mit mindestens zwei oder drei anderen Kindern zu streiten. Irgendwann musste ich mich dann auch gegen ihre älteren Brüder wehren.

Wenn die Kinder sagten, ich solle doch in mein Land zurückgehen, war ich gekränkt. Mein Land war hier, und draußen zu spielen war mein gutes Recht. Ich weiß noch, wie ich dachte, niemand dürfe das Recht haben, mich wegen meiner Hautfarbe schlechtzumachen. Bei diesem Gedanken stieg großer Zorn in mir auf, und obwohl ich Raufereien nicht mochte, dachte ich – paradoxerweise –, ich könnte nur durch Handgreiflichkeiten meine Freiheit verteidigen und Frieden schaffen. Daher griff ich jedes Mal, wenn jemand sich mir gegenüber rassistisch verhielt, automatisch zu Gewalt. Meine Gewalttätigkeit entstand aus Wut, die häufig

ein Schutz vor Schmerz ist. Eigentlich war ich kein gewalt-
tätiger Mensch; wenn ich anderen Kindern körperlich weh
getan hatte, bekam ich oft gleich danach Schuldgefühle und
fragte sie, ob sie okay seien.

Die Vorstellung, man könnte mit Gewalt Frieden schaffen, ist ein Irrglaube, auch wenn wir dieses Bestreben häufig
auf der Welt beobachten. Wenn ich einen Kampf gewann,
spornte das beim nächsten Mal nur noch mehr Jungen an,
sich einzumischen. Bald ging ich gar nicht mehr zum Spielen nach draußen, weil es mir dieses Theater nicht wert war.

Das Gehirn ist klug. Es möchte uns das Leben erleichtern
und so wenig denken wie möglich. (Das klingt vielleicht etwas merkwürdig, vor allem für notorische Grübler.) Folglich
ist das Gehirn darauf optimiert, unterbewusst Entscheidungen zu treffen, die auf früheren, an Erfahrungen geknüpfte
Emotionen beruhen. Die Wiederholung dieses angelernten
Verhaltens ermöglicht es uns, automatisch zu handeln, sodass wir Tätigkeiten wie etwa Autofahren nicht ständig neu
erlernen und über die vielen alltäglichen Kleinigkeiten nicht
immer wieder nachdenken müssen.

Doch auf gleiche Weise kann das Unterbewusstsein uns
auch in unguten Automatismen gefangen halten. Die Tatsache, dass ich jedes Mal, wenn ich auf die Beschimpfungen
der anderen Jungen mit Gewalt reagiert hatte, ein schlechtes
Gewissen bekam, machte mir klar, dass meine Reaktionen
nicht *ich* waren. Frühere Erfahrungen hatten mich konditioniert, in dieser Weise zu reagieren, und weil ich nicht darüber nachdachte, hinterfragte ich meine Reaktionen nicht.

Du bist nicht deine Gedanken,
sondern du bist Zeugin oder Zeuge
jedes einzelnen Gedankens.

Zeuge meiner Gedanken und Gefühle zu sein erlaubte es mir, mich nicht mit meiner Wut zu identifizieren, sondern mir bewusst zu machen, dass ich dachte und spürte «Ich bin wütend». Wenn wir diese Achtsamkeit üben, können wir lernen, bessere Handlungsentscheidungen zu treffen.

Wie wir ein Ereignis erleben, hängt davon ab, wie wir es wahrnehmen. Die Ereignisse an sich sind neutral, aber wir etikettieren sie. Wenn etwas *Schlimmes* passiert, hole tief Luft – und beobachte deine Gedanken. Registriere, was in dir vor sich geht. Erst wenn du deine Gedanken wahrnimmst, kannst du dich bewusst entscheiden, wie du in einer schwierigen Situation reagieren willst. Meditieren ist ein wunderbares Mittel, um diese Fähigkeit zu vervollkommnen.

Deine schwächenden Gedanken sind nicht du selbst. Identifiziere dich nicht mit ihnen, sondern lasse sie vorbeiziehen. Suche dir stattdessen einen stärkenden Gedanken. Wenn du zum Beispiel gerade deinen Job verloren hast, kannst du den Fokus auf den Gedanken richten, dass du von jetzt an arbeitslos und pleite bist. Das nimmt dir jede Hoffnung und setzt deine Schwingungsfrequenz herab. Oder aber du konzentrierst dich auf die Möglichkeit, einen neuen Job zu finden, der besser bezahlt wird. Dieser zweite Gedanke stärkt dein Wohlbefinden und erhöht deine Schwingungsfrequenz.

Das Beobachten deiner Gedanken ermöglicht dir, bewusst

zu leben: Du legst alte Gedankenmuster ab und konditionierst deine Denkweise neu, um mehr Freiheit zu gewinnen, der zu sein, der du wirklich bist. Das klappt nicht von heute auf morgen, aber wenn du hartnäckig bleibst, wirst du aus dem Teufelskreis des negativen Denkens ausbrechen und dir eine neue, positive Denkweise angewöhnen.

Kurz: Konzentriere dich nicht darauf, die äußeren Ereignisse zu kontrollieren, sondern kontrolliere deine gedankliche und emotionale Reaktion auf diese Ereignisse. Damit gewinnst du deine persönliche Macht zurück. Es ist der Schlüssel zu einem glücklichen Leben.

> *Das Ziel ist nicht, negative Gedanken loszuwerden, sondern deine Reaktion darauf zu verändern.*

Ein einziger Gedanke genügt

*Für ein besseres Ergebnis reicht stets
ein einziger positiver Gedanke.*

Die Chaostheorie ist ein Teilgebiet der angewandten Mathematik. Auch in anderen Wissenschaften wie Physik, Biologie, Wirtschaftswissenschaft und Philosophie wird sie eingesetzt. Sie besagt, dass selbst ein klitzekleiner Unterschied in den Anfangsbedingungen zu komplexen und unvorhersehbaren Ergebnissen führen kann. Ein Beispiel dafür ist der sogenannte Schmetterlingseffekt: Wenn im Amazonasgebiet ein Schmetterling mit den Flügeln schlägt, verursacht er damit winzige Luftströmungen, die theoretisch nach einer gewissen Zeit das Wetter in einem so weit entfernten Ort wie New York beeinflussen könnten. Uns geht es zwar nicht um unvorhersehbare Ergebnisse, sondern um ein konkretes Ziel – aber die Chaostheorie zeigt uns eindrücklich, wie wirksam schon ein einziger Gedanke sein kann.

Die Veränderung einer einzelnen Variablen muss nicht immer zu Chaos führen. Stell dir einmal vor, wir würden aus einer bestimmten Position, mit einer bestimmten Kraft und in einem bestimmten Winkel einen Ball werfen, jedes Mal unter genau den gleichen Bedingungen. Mit Hilfe von

Mathematik und Physik könnten wir berechnen, wo der Ball auftrifft. Das ist vorhersagbar. Wenn man nun aber eine der Bedingungen – etwa die Position, den Abwurfwinkel oder die Kraft – auch nur ein klein wenig verändert, landet der Ball an einer anderen Stelle.

Ähnlich können wir, wenn wir nur einen einzigen Gedanken zum Positiven verändern und wirklich davon überzeugt sind, unsere gesamte Weltsicht verändern. Unsere neue Wahrnehmung wiederum besitzt dann die Kraft, positive Ergebnisse zu bewirken.

Wir können uns nicht darauf verlassen, dass unsere Umgebung uns neue Ergebnisse präsentiert; darauf haben wir normalerweise keinen Einfluss. Doch ähnlich wie in unserem Beispiel mit dem Ball brauchst du nur mit etwas mehr Kraft oder aus einer anderen Position zu werfen, und schon verändert sich das Ergebnis. Das heißt, dass du nur deine Perspektive, also deine Gedanken verändern musst. Und deine Gedanken kannst du beeinflussen.

Ändere deine Überzeugungen

Es wäre schön, wenn man seine Überzeugungen über Nacht ändern könnte, tatsächlich ist das jedoch erstaunlich schwer. Unsere Glaubenssätze sind, wie wir gesehen haben, tief im Boden unseres Unterbewusstseins verwurzelt. Wenn wir Meinungen übernehmen, ohne sie zu hinterfragen, beeinflussen sie unser Leben. Manche dieser Meinungen mögen wir zwar vernünftig finden, aber sie stärken uns nicht, sondern schränken unser Potenzial ein.

Der erste Schritt besteht darin, festzulegen, welche Grundüberzeugungen man verändern möchte. Eine meiner Grundüberzeugungen war zum Beispiel: «Ich kann an meiner Zukunft nichts ändern, daher werde ich niemals etwas Großartiges leisten.»

Solche Glaubenssätze taten mir zwar nicht gut, aber wenn ich versucht hätte, sie einfach zu ändern, hätte ich das Gefühl gehabt, mich selbst zu belügen. Schließlich entsprachen diese Sätze doch der Wahrheit, oder? Aber warum hielt ich sie für die *einzige* Wahrheit?

Als ich mich mit diesen einschränkenden Glaubenssätzen auseinandersetzte, entdeckte ich, dass sie so fest in mir verankert waren, weil Menschen, zu denen ich aufsah, sie mir mit auf den Weg gegeben hatten. Diese Personen hatten mir erklärt, jeder erhalte ein bestimmtes Leben, auf das er nicht den geringsten Einfluss habe. Demnach wurden manche einfach unter einem glücklichen Stern geboren und andere nicht, und das musste man akzeptieren. Versuche, sich ein besseres Leben zu schaffen, waren angeblich reine Zeitverschwendung. Diese Erklärungen waren viel subtiler, als ich sie jetzt wiedergebe. Sie wurden mir von klein auf eingeprägt und in meiner gesamten Umgebung ständig wiederholt, sodass ich schließlich tatsächlich glaubte, es läge nicht in meiner Macht, mein Leben selbst in die Hand zu nehmen.

Mit dem Älterwerden wurden auch die Probleme größer, die ich zu bewältigen hatte, und meine eigenen Überzeugungen machten mich traurig. Ich hatte das Gefühl, keine Alternative zu haben und so weiterleben zu müssen wie bisher, weil es mir so bestimmt war. Doch eigentlich wollte ich das nicht glauben – und daher suchte ich nach einem Ausweg.

Ich begann, die Stichhaltigkeit meiner Überzeugungen zu hinterfragen und die Glaubwürdigkeit der Quellen anzuzweifeln, von denen sie stammten. Klar, es waren Leute, die in meiner Umgebung angesehen waren und respektiert wurden, aber niemand von ihnen war für mich ein Vorbild, dem ich hätte nacheifern wollen.

Als Jugendlicher wollte ich reich und berühmt werden, daher beschloss ich, mich mit reichen und berühmten Menschen zu beschäftigen und zu überprüfen, ob sie andere Glaubenssätze hatten als ich. Und tatsächlich, diese Leute kannten in ihrem Denken keine Grenzen. Außerdem schienen sie positiv eingestellt zu sein. Sie sprachen von Wohltä-

Überwinde deine mentalen Begrenzungen.
Verbringe dein Leben nicht
in einem Gefängnis aus Glaubenssätzen,
die dein Potenzial einschränken und die
Verwirklichung deiner Träume verhindern.

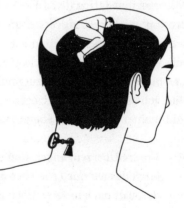

tigkeit, Respekt vor anderen Menschen und einer gesunden Lebensweise.

Als ich mich dann über Menschen informierte, die einige der größten Leistungen auf dieser Erde vollbracht hatten, fand ich ganz ähnliche Leitgedanken. Daneben studierte ich einige sehr bewunderte spirituelle Lehrer. Viele sagten aus, dass wir mit unseren Überzeugungen das Leben schaffen, das wir erfahren.

Ich begriff, dass das, was man mir beigebracht hatte, nicht unbedingt falsch war; es stimmte für die Personen, die es mich gelehrt hatten, und für andere um mich herum. Wenn ich ihr Leben betrachtete, gab es ein gemeinsames Thema: Überlebenskampf. Sie hatten keinen Grund, an etwas anderes zu glauben. Das Leben hatte sie nicht gut behandelt, daher kannten sie nichts anderes als Mühsal und Not.

Mit unserem rationalen Denken bemühen wir uns, das Leben um uns herum zu verstehen. Wenn uns jemand eine Theorie anbietet, die uns stimmig erscheint, akzeptieren wir sie als Wahrheit. Als man mir sagte, das Leben sei schwer, fiel es mir viel leichter, das zu glauben, als es in Frage zu stellen. Ich übernahm diese Überzeugung als Wahrheit, weil sie mit meiner damaligen Lebenserfahrung übereinstimmte.

Unsere Überzeugungen sind wie ein Objektiv, durch das wir das Leben betrachten; wir sehen das, was nach unserer Überzeugung wahr ist.

Als ich das erkannt hatte, war mir klar, dass ich meine Glaubenssätze und damit auch mein Leben ändern konnte. Um diese Erkenntnis zu bestätigen, suchte ich nach Menschen, die in ähnliche Umstände wie ich hineingeboren worden waren und es trotzdem geschafft hatten, Großes zu leisten.

Ich fand nicht nur zahllose solcher Menschen, sondern auch viele, die mit noch schwierigeren Ausgangssituationen fertiggeworden waren. Ihre Erfolgsgeschichten widerlegten alle meine konditionierten Überzeugungen. Sie halfen mir, unumstößliche Beweise gegen meinen eigenen rationalen Verstand zu sammeln. Je mehr solcher Geschichten ich las, desto fester wurde mein Entschluss.

Jetzt konnte ich eine neue Überzeugung annehmen. Sie lautete: Ich kann meine Zukunft ändern und Großartiges vollbringen.

Der Kernpunkt ist hier, dass du, wenn du deine Überzeugungen ändern willst, deine derzeitigen Glaubenssätze widerlegen musst. Du brauchst bloß Beweismaterial zu sammeln, das die Überzeugung, die du dir wünschst, unterstützt. Und du wirst sehen: Erfolgsgeschichten, die dir bei diesem Prozess helfen, gibt es genug.

Nutze Affirmationen

Was du in Worte fasst, wird sich irgendwann
manifestieren. Mit der Kraft der Worte kannst du
so manche deiner Wünsche verwirklichen.

Die Kraft der Affirmationen ist nicht zu unterschätzen. Affirmationen sind positive Aussagen, die das beschreiben, was du erreichen möchtest. Wenn wir etwas immer wieder mit großer Überzeugung aussprechen, schaffen wir tief im Unterbewussten den Glauben, dass diese Aussage wahr ist.

In unserem sozialen Umfeld sehen wir das Tag für Tag. Durch ständige Wiederholungen werden uns bestimmte Vorstellungen von der Welt eingetrichtert. Eine Mutter etwa, die ihrem Kind andauernd sagt, es sei schüchtern, pflanzt diesen Gedanken in den Kopf des Kindes ein. Das Kind fühlt sich vielleicht gar nicht schüchtern. Doch durch die ständige Wiederholung dieser Zuschreibung fängt es allmählich an, selbst daran zu glauben. Wenn das Kind dann größer wird, ist es möglicherweise tatsächlich schüchtern – die Worte der Mutter sind zu einer sich selbst erfüllenden Prophezeiung geworden.

Damit bin ich wieder bei dem Thema, wie wichtig es ist, dass du dich mit Menschen umgibst, deren Ansichten über dich dein Selbstvertrauen stärken. Das soll nicht heißen, dass du nur Freunde haben solltest, die nette Sachen über dich sagen. Aber es bedeutet, dass du dir Freunde suchen sollst, die dich unterstützen, statt dir zu schaden.

Wenn man dir immer wieder sagt, du könntest irgendetwas nicht, dann wirst du eines Tages selbst glauben, dass du es nicht kannst.

Affirmationen zu wiederholen ist ein bewusster Vorgang. Du sendest damit Anweisungen an dein Unterbewusstsein. Wenn diese Überzeugungen erst eingepflanzt wurden, wird dein Unterbewusstsein tun, was es kann, damit sie auch Früchte tragen. Es ist, als würdest du einen Computer programmieren. Sobald die Codezeilen erfasst sind, kann das Programm automatisch laufen und die gewünschten Ergebnisse liefern.

Aus eigener Erfahrung kann ich sagen, dass es nur wenig Wirkung hat, wenn ich mir Aussagen vorspreche, die ich beim besten Willen nicht glauben kann. Als ich meine Überzeugungen verändern wollte, konnte ich mir nicht einfach einreden, dass ich es schaffen würde, meine Zukunft zu verändern und Großes zu leisten, sondern ich musste Beweise finden, um meine alten Glaubenssätze rational zu widerlegen.

Auch für Affirmationen sollte man nötigenfalls Beweise sammeln, damit der Verstand diese Aussagen nicht als unglaubwürdig zurückweist. Außerdem werden Affirmationen noch kraftvoller, wenn du sie durch Beweise untermauerst.

Es ist wichtig, stets eine hohe Schwingungsfrequenz aufrechtzuerhalten, und dabei können Affirmationen dir helfen. Ich habe festgestellt, dass sie besser wirken, wenn man sie in einer Phase spricht, in der es einem gut geht. Doch die Wiederholung dieser Sätze kann deine Schwingungsfrequenz jederzeit erhöhen, ganz gleich, in welcher Stimmung du gerade bist. Einen positiven Satz laut und mit großer Überzeugung auszusprechen kann deine Verfassung vollkommen verändern.

Du solltest für deine Affirmationen eigene Worte finden. Sprich sie mit normaler Stimme, so, als würdest du einem Freund Tatsachen mitteilen. Wichtig ist außerdem, dass du die Aussagen positiv formulierst, nicht als Verneinung – sage dir also nicht etwas, das du nicht willst. Das, wogegen wir uns wehren, bleibt häufig bestehen, denn auch die Energie, die wir zur Abwehr einsetzen, kehrt zu uns zurück. Statt also zu sagen: «Ich bin nicht mehr nervös», könntest du zum Beispiel formulieren: «Ich habe großes Vertrauen bei allem, was ich anpacke.» Affirmationen sollten immer im Präsens, also in der Gegenwartsform, gesprochen werden.

Wenn du so handelst, als hättest du dein Ziel
schon erreicht, glaubt dein Unterbewusstsein das
und beeinflusst dich entsprechend.

Es liegt an dir, wie viel Zeit du auf deine Affirmationen verwendest. Sinnvoll sind etwa zwei bis fünf Minuten pro Tag. Doch in jedem Fall ist die emotionale Beteiligung beim Sprechen wichtiger als die Dauer, sage die Affirmationen daher immer mit voller Überzeugung.

Die Kraft der Worte

Worte können kränken, helfen oder heilen.
Alles, was du schreibst und sagst, hat Kraft. Deine
Botschaften sind bedeutsam; wähle sie klug.

In den 1990er Jahren führte der Parawissenschaftler und Alternativmediziner Masaru Emoto bahnbrechende Experimente zur Wirkung von emotionaler Energie auf Wasser durch.[11] Unter anderem schrieb er positive und negative Begriffe auf mit Wasser gefüllte Gefäße und fror sie dann ein.

Zu den negativen Wörtern gehörte zum Beispiel «Dummkopf», eins der positiven war «Liebe». Wenn unsere Worte tatsächlich Energie sind und Wasser Schwingungsenergie aufnimmt, so überlegte Emoto, dann mussten diese Worte das Wasser auf irgendeine Weise beeinflussen.

Er hatte recht mit seiner Annahme. Das Wasser in den Gefäßen, auf denen positive Wörter standen, gefror zu wunderschönen Eiskristallen, wobei «Liebe» und «Dankbarkeit» die erstaunlichsten Formen bildeten. Die Eiskristalle, die aus dem Wasser entstanden, das Begriffen mit negativer Energie ausgesetzt gewesen war, hatten dagegen reizlose, unregelmäßige Formen. Die gleichen Ergebnisse erhielt Emoto, wenn er das Wasser positiv oder negativ besprach, also zum Beispiel lobte oder beschimpfte. Seine Experimente zeigten eindrücklich, dass Worte Schwingungen besitzen und abgeben.

Der menschliche Körper besteht, wie ich schon im zweiten Teil dieses Buches erwähnte, zum größten Teil aus Wasser. Jetzt male dir aus, wie stark Worte uns beeinflussen können!

Setze dir ein Ziel

Wenn du dir nicht sicher bist, was du willst,
wirst du diverse Ergebnisse erzielen und dir
nicht sicher sein, ob du sie willst.

Bevor du Ziele verfolgen kannst, musst du wissen, was du willst. Du kannst ein Ziel nicht erreichen, wenn du unsicher bist, ob es dir tatsächlich wichtig ist. Du gehst ja auch nicht in ein Restaurant und sagst bei der Bestellung: «Kann sein, dass ich das Gemüsecurry möchte.» Entweder möchtest du das Gericht, oder du möchtest es nicht.

Wenn du dir über deine Absicht nicht im Klaren bist, wirkt sich das auf die Ergebnisse deiner Handlungen aus. Sollte der Kellner dich zum Beispiel fragen, wie scharf du das Gemüsecurry haben möchtest, und du antwortest, du seist dir nicht sicher, dann bringt er dir vielleicht ein Gericht, das dir nicht schmeckt. Wenn es dir zu scharf ist, bist du selbst schuld, denn du hast ihm keine klaren Anweisungen gegeben.

Das richtige Ziel zu setzen ist entscheidend. Es muss widerspiegeln, was du dir im tiefsten Inneren wünschst – nicht, was du glaubst dir wünschen zu sollen. Viele Jahre lang habe ich mich nach Dingen gesehnt, die eigentlich nur dazu dienen sollten, anderen zu imponieren. Manchmal bekam ich das Gewünschte und war dann überrascht, dass es mich nicht zufriedenstellte.

Deine Zielsetzungen sollten widerspiegeln, wer du bist. Fasse Ziele ins Auge, an die du ständig denkst, weil du weißt, dass sie deine Lebensqualität erhöhen werden. Materielle Wünsche zu haben ist in Ordnung; nur wer sein Ego vollkommen überwunden hat, sehnt sich nicht mehr nach materiellen Dingen. Aber deine Ziele sollten dir persönlich wirklich etwas bedeuten. Jemand kann sich zum Beispiel ein größeres Haus wünschen, weil er eine große Familie haben und sich mit allen zusammen darin wohlfühlen möchte. Dieses Ziel hat eine tiefere Bedeutung, als wenn jemand einfach ein größeres Haus haben will, um seinen Reichtum zur Schau zu stellen.

Wenn du ein Ziel oder eine Absicht klar definiert hast, kooperiert das Universum auf wunderbare Weise. Sobald wir geäußert haben, was wir wollen, beginnt der Prozess der Verwirklichung, und die Dinge entwickeln sich zu unseren Gunsten. Viele unserer Träume werden wahr.

J. Cole, auch genannt King Cole, ist ein weltberühmter deutschamerikanischer Rapper, Autor und Musikproduzent. Als junger Mann arbeitete er unter anderem in der Werbung und in einem Inkassobüro. 2011 sagte er in einem Interview, der Film *Get Rich or Die Tryin'*, in dem der Rapper 50 Cent die Hauptrolle spielt, habe ihn einst zu einem T-Shirt inspiriert. Es trug den kühnen Aufdruck: «Produce for Jay-Z or Die Tryin'» (etwa: Gib dein Letztes, um Jay-Z zu produzieren). Cole erzählte in dem Interview, er habe damals geglaubt, um

Rapper zu werden, sei es sinnvoll, sich zuerst als Produzent einen Namen zu machen. Es sollte eine Zwischenstation auf dem Weg zu seinem höchsten Ziel sein, daher ließ er sich das besagte T-Shirt anfertigen.[12]

Er trug das T-Shirt in der Hoffnung, dass jemand aus der Musikbranche oder sogar Jay-Z persönlich auf ihn aufmerksam werden würde. Es sollte einige Jahre dauern, doch schließlich ging sein Wunsch in Erfüllung: Cole hatte sich ein Ziel gesetzt, hatte hart gearbeitet und glaubte an sich, und tatsächlich nahm Jay-Z Kontakt zu ihm auf. Später wurde er als erster Künstler von dessen Plattenlabel Roc Nation unter Vertrag genommen. Inzwischen hat King Cole in verschiedenen Songs mit Jay-Z gerappt und sie selbst produziert.

Schreibe deine Ziele auf

Du selbst bist der Verfasser deiner Zukunft.
Schreibe auf, was du ersehnst.

Ich habe einmal gelesen, die Wahrscheinlichkeit, dass man seine Ziele erreicht, sei größer, wenn man sie aufschreibt. Das faszinierte mich, also beschloss ich nachzuforschen. Ich befasste mich mit vielen Untersuchungsergebnissen und mit Geschichten von Menschen, die ihre Ziele zu Papier brachten und sie dann nach einigen Jahren tatsächlich verwirklichten.

Ein berühmtes Beispiel ist der American-Football-Quarterback Colin Kaepernick. In der vierten Klasse schrieb Kaepernick sich selbst einen Brief, in dem er recht genau vorhersagte, dass er Profi-Footballspieler werden würde, in welchem Team er spielen, und sogar, wie schwer und wie groß er dann sein würde.[13] Colin Kaepernick ist kein Hellseher; er wusste einfach, was er wollte, und hatte ganz genaue Vorstellungen von seiner Zukunft. Seine Vision wurde schließlich Wirklichkeit.

Wenn du deine Ziele aufschreibst, werden sie greifbarer. Beschreibe sie in allen Einzelheiten. Das hilft dir, fokussiert zu bleiben und nicht vom Weg abzukommen.

Mir hat es großes Glück gebracht, dass ich meine Ziele schriftlich festgehalten habe. Ich habe sie in allen Einzelheiten aufgeschrieben, und genau so haben sie sich auch verwirklicht. Beim Aufschreiben folge ich einer speziellen Methode. Damit auch du sie anwenden kannst, beschreibe ich sie im Folgenden.

Schreibe deine Ziele mit der Hand auf

Die Ziele mit einem Stift aufzuschreiben, statt sie in eine Datei einzutippen, löst etwas aus, das ich gern als magisches Einprägen bezeichne. Wenn du diese Ziele dann erneut liest, in deiner eigenen Handschrift, prägen sie sich noch tiefer ein. Dadurch wächst deine Kraft, sie zu verwirklichen.

Sei aufrichtig

Schreibe deine Ziele genau so auf, wie du sie verwirklicht sehen möchtest. Beschränke dich dabei nicht und formuliere sie auch nicht so, wie sie für andere «richtig» sein könnten. Wenn du große Ziele hast, ist das in Ordnung. Wer große Pläne hat, ist offen für großartige Ergebnisse.

Schreibe im Präsens

Formuliere deine Ziele wie die Affirmationen in der Gegenwartsform. So klingt es, als hättest du sie bereits erreicht. Wenn du zum Beispiel Mathematiker werden möchtest, schreibst du: «Ich bin ein großer Mathematiker.» Dein

Unterbewusstes wird dann den Weg des geringsten Widerstandes suchen, um dieses Ziel zu verwirklichen.

Formuliere positiv

Achte darauf, dass du auch deine Ziele immer in positiver Form aufschreibst. Konzentriere dich auf das, was du dir wünschst, nicht auf das, was du nicht willst.

Verwende deine eigene Sprache

Schreibe, wie du sprichst. Gestelzte Schriftsprache ist hier nicht nötig. Nur du allein sollst diese Ziele verstehen können, sonst niemand. Formuliere sie so, dass du mühelos etwas damit verbindest und sie nicht erst im Kopf in deine eigene Sprache übersetzen musst.

Sei präzise

Schreibe so viele Einzelheiten auf, wie du kannst. Je genauer du die Ziele formulierst, desto exakter können sie angesteuert werden. Denke daran, das Unterbewusstsein soll nach deinen Anweisungen arbeiten – und das Ergebnis kann nur so gut sein wie die Anweisungen, die du ihm gegeben hast.

Schreibe deine Ziele möglichst ohne Zeitangabe auf. Sonst könntest du den Mut verlieren und zweifeln, wenn sie nicht zum erwarteten Zeitpunkt verwirklicht werden. Das wiederum würde deine Schwingungsfrequenz herabsetzen und dein Ziel in noch weitere Ferne rücken. Wenn du allerdings jemand bist, der sich von Druck motivieren lässt, könnte ein Termin dir helfen loszulegen. Es ist deine Entscheidung. Ist eine Zeitangabe hilfreich für dich, dann schreibe sie mit auf, wenn nicht, dann nicht.

Setze dir Ziele, bei denen du zuversichtlich bist, dass sie für dich erreichbar sind. Zuversicht kannst du aufbauen, indem du mit kleineren Zielen beginnst. Erreichst du diese, wächst dein Vertrauen, dass du auch größere Ziele verwirklichen wirst.

Wenn du deine Ziele festgelegt und aufgeschrieben hast, sprich sie dir jeden Tag laut vor. Sollten kleinere Veränderungen nötig sein, formuliere sie neu. Verändere deine Ziele jedoch nicht radikal und auch nicht allzu häufig, denn das wäre, als würdest du jedes Mal ein neues Samenkorn säen. Gib den einmal gesäten Samen Zeit, sich zu entfalten. Wichtig ist, dass du weißt, was du willst.

Visualisiere, wie du deine Ziele lebst

Was in deiner Vorstellung Wirklichkeit ist,
wird sich auch in deiner Realität verwirklichen.

Mit Hilfe von Visualisierungen kannst du ein Erlebnis oder ein Ziel gedanklich vorwegnehmen, bevor du es in deinem Leben verwirklichst.

Der Superstar Arnold Schwarzenegger sprach mehrmals darüber, dass er seine Ziele visualisiert hatte, bevor er sie tatsächlich erreichte. Michael Jordan, der legendäre Basketballspieler, berichtet, dass er vor seinem Erfolg den Typ Spieler visualisierte, der er werden wollte. Spitzensportler setzen häufig Visualisierungen ein. Auch einer der besten Tennisspieler aller Zeiten, Roger Federer, berichtet, dass er diese Technik in seinem Training nutzt. Alle diese Sportler trainieren bis zur Perfektion – auch im Kopf.

Die Psychologen Alan Budney, Shane Murphy und Robert Woolfolk wiesen in einem 1994 veröffentlichten Beitrag darauf hin, dass Sportler mit rein mentalen Übungen bessere Leistungen erzielen, als wenn sie gar nicht trainieren.[14] Die Gehirnmuster, die aktiviert werden, wenn man sich eine Handlung vorstellt, sind denen sehr ähnlich, die aktiviert werden, wenn man die Handlung tatsächlich ausführt. Visualisierungen können das Gehirn daher auf die Ausführung vorbereiten.

Wenn wir visualisieren, was wir uns wünschen, bringen wir uns nicht nur auf die gleiche Frequenz, mit der der Gegenstand unserer Visualisierung schwingt, sondern wir beeinflussen auch unser Unterbewusstes, und zwar auf die gleiche Weise wie mit Affirmationen.

> *Gehirn und Nervensystem können zwischen*
> *Vorstellung und realem Erleben nicht*
> *unterscheiden.*

Diese Tatsache können wir uns zunutze machen. Wenn das Gehirn die positiven Vorstellungen, die wir ihm eingeben, für Realität hält, dann werden sie auch im Leben zur Realität werden. Das heißt: Wenn dein Selbstvertrauen in deiner Vorstellung größer ist als in deiner jetzigen Wirklichkeit und du deinem Gehirn diese Vorstellung einprägst, dann wirst du bald auch in der Realität mehr Selbstvertrauen haben!

Beziehe deine Sinne mit ein

Visualisieren heißt nicht, dass wir einzelne mentale Bilder schaffen, sondern wir stellen uns ganze Szenen vor. In diesen Szenen müssen alle Sinne beteiligt sein: Schmecken, Sehen, Fühlen, Riechen und Hören.

Visualisiere die Szene so detailreich, wie du kannst. Wenn du dir zum Beispiel ein neues Auto wünschst, dann reicht es nicht, dass du das Bild dieses Autos vor Augen hast. Setze dich in den Wagen, fahre damit. Spüre, wie du dich am Steuer fühlst, höre die Fahrgeräusche, sieh die anderen Wagen auf der Straße, nimm die Lufttemperatur wahr und so weiter. Erlebe diese Autofahrt, als wäre sie genau in diesem Moment real. Sei bei der Gestaltung deiner Szenen erfinderisch. Erwecke sie zum Leben, indem du sie dir leuchtend bunt, laut und auffallend vorstellst. Dazu brauchst du nur die Augen zu schließen und kreativ zu werden.

Wichtig ist, dass du dir Szenen ausmalst, in denen es dir gut geht. Du solltest in der Phantasie positive Emotionen wecken. Da das eine hohe Konzentration erfordert, ist es ratsam, die Visualisierungen an einem Ort durchzuführen, an dem du nicht abgelenkt wirst und dich entspannen kannst.

Wenn ich die Technik der Visualisierung einsetze,
ist ein leichtes Kribbeln die Bestätigung dafür,
dass ich es richtig mache. Es ist eine Empfindung,
als würde ich mich freuen, weil mein Wunsch
bereits in Erfüllung geht.

Falls es dir schwerfällt, dir etwas so genau vorzustellen, gibt es Möglichkeiten, wie du dir helfen kannst. Sehr beliebt sind Visionboards. Dafür sammelst du Fotos und Ausschnitte aus Illustrierten oder Zeitungen, auf denen zu sehen ist, was du verwirklichen möchtest, und heftest sie an eine Pinnwand oder auf ein großes Stück Pappe. Das hilft dir, deine Ziele deutlich vor Augen zu haben. Gib dieser Collage einen Platz in deiner Wohnung, wo du häufig hinguckst, so bleibst du auf dein Vorhaben fokussiert.

Ich selbst erstelle mir neben der Arbeit mit Visualisierungen gern auch ein Visionboard, allerdings in digitaler Form. Dazu lade ich auf einer persönlichen Website Bilder hoch und schaue sie mir jeden Tag ein paar Minuten lang an. Für mich ist das eine gute Methode. Ich konnte sogar den Heiratsantrag meiner Träume verwirklichen, nachdem ich auf Pinterest, einer beliebten Plattform für Visionboards, Bilder dazu gesammelt hatte, wie er aussehen sollte.

Als Teenager habe ich als Hobby Musik gemacht. Ich war großer Fan einer Gruppe namens So Solid Crew, damals sehr bekannt und für uns eine der tollsten Gruppen überhaupt. Ich ließ mir ihr Logo auf mein Federmäppchen drucken und träumte im Unterricht davon, in dieser Gruppe mitzuspielen.

Ein paar Jahre später veröffentlichte ein Mitglied von So Solid Crew, DJ Swiss, ein Album namens *Pain 'n' Musiq*. Ich verliebte mich bis über beide Ohren in dieses Album und hörte es mir Tag und Nacht an. Es versetzte mich in Trance, und ich visualisierte, wie ich mit Swiss zusammenarbeitete und großartige Musik mit ihm machte.

Nicht lange danach bekam ich tatsächlich die Chance, mit Swiss zusammen zu spielen. Mein Mentor Clive, selbst auch Musiker, war mit Swiss befreundet. Wir drei machten gemeinsam ein paar Songs, und danach arbeiteten Swiss und ich weiter zusammen.

Das Universum unterstützt dich

Mach dir keine Gedanken darüber,
auf welche Weise deine Träume Realität werden,
denn dadurch würdest du die Möglichkeiten
einschränken. Wenn du dir sicher bist, was du
willst, wird sich das gesamte Universum für dich
neu ordnen. Welchen Weg du auch gerade gehst,
es wird dich unterstützen. Es wird dich mit den
Hinweisen versorgen, die du brauchst,
um an dein Ziel zu gelangen.

Dem Dichter Rumi, der im 13. Jahrhundert lebte, wird folgendes Zitat zugeschrieben: «Das Universum ist nicht außerhalb von dir. Schaue in dich hinein; alles, was du dir wünschst, bist du bereits.» Vielleicht hätte Rumi auch zugestimmt, dass das Universum nur deshalb nicht mit uns zusammenarbeitet, weil wir nicht in Resonanz mit ihm schwingen. Das Universum existiert bereits in dir, aber wenn deine Schwingungsfrequenz zu niedrig ist, bist du nicht in der Lage, es wahrzunehmen. Durch deine Worte, Handlungen, Emotionen und Überzeugungen kannst du es jedoch ans Licht bringen.

Das Universum hilft uns, Möglichkeiten zu verwirklichen.

Es schickt dir Ideen und Hinweise. Wie du darauf reagierst, liegt an dir.

Vielleicht entscheidest du dich für das Ziel, eigenständig an etwas zu arbeiten, das dir Spaß macht. Dann kommt dir eines Tages aus heiterem Himmel eine Idee, zum Beispiel, dass du mit deinen Kochrezepten online Geld verdienen könntest. Wenn dieser Einfall dir unsinnig erscheint, wirst du den Gedanken wohl kaum in die Tat umsetzen, sondern ihn vielmehr als flüchtigen Einfall verwerfen.

Ein paar Wochen später triffst du vielleicht Blogger, die selbst Rezepte ins Netz stellen. Du hältst das für Zufall, daher ignorierst du diese Hinweise und investierst deine Energie in etwas anderes. Doch möglicherweise verpasst du so eine Chance, deinen Traum von der Selbständigkeit zu verwirklichen. Manchmal übersehen wir die Winke des Universums, weil wir denken, wir müssten unsere Ziele auf eine ganz bestimmte Weise erreichen.

Mein größter Wunsch war es, die Welt mit meinen kreativen Fähigkeiten zum Positiven zu verändern – und natürlich wünschte ich mir dabei auch ein gutes Auskommen. Ich hatte immer gedacht, der einzige Weg dahin führe über Kleidung. Erst als ich die Vorstellung, auf welche Weise ich mein Ziel erreichen würde, aufgegeben hatte, probierte ich auch andere Ideen aus. Scheinbar flüchtige Gedanken führten mich dorthin, wo ich jetzt bin. Ich vertraue darauf, dass sie mich auch bei meinen nächsten Schritten leiten, denn ich weiß, dass sie mich letztlich ans Ziel bringen werden.

Wer heute mit Begriffen wie Gesetz der Anziehung um sich wirft, nimmt häufig an, dass seine Träume sich ohne jede Anstrengung seinerseits verwirklichen werden. Aber deinen Einfällen und Ideen, den Inspirationen, die das Universum dir schickt, müssen Handlungen folgen. Die Geistesblitze sind Stupser vom Universum, die dir sagen: «Hier entlang! Probier das mal!»

Eine Absicht, der keine Handlung folgt, bleibt eine Absicht. Du kannst ein Ziel nur erreichen, wenn du dich entschließt, es zu verfolgen. Das Universum unterstützt dich jederzeit, doch du musst bereit sein, deinen Teil zum Manifestationsprozess beizutragen.

SECHSTER TEIL

ZIELE VERWIRKLICHEN: HANDELN

Einstieg

Es geht nicht darum, wo du gerade stehst,
sondern darum, was du an diesem Punkt
unternimmst.

Ich bin überzeugt, dass man aktiv und tatkräftig auf seine Ziele zusteuern sollte. Das heißt aber nicht, dass du große Schritte machen musst; auch mit Babyschrittchen kommst du deinem Ziel näher. Allerdings ist es immer gut, alles zu geben.

Wenn ich zum Beispiel die Absicht habe, der größte Musiker der Welt zu werden, muss ich nicht sofort versuchen, ganze Stadien zu füllen. Ich könnte damit beginnen, einen Song zu machen. Das wäre ein kleiner Schritt in die richtige Richtung.

Gleichzeitig könnte ich mich ganz in diesen Song hineingeben. Ich könnte dafür sorgen, dass der Text hervorragend ist und die Vocals so gut werden wie nur irgend möglich. Vielleicht kostet mich das viel Zeit, vielleicht muss ich dafür auch etwas Neues lernen, aber das alles ist eine Investition in die Zukunft – in die Verwirklichung meiner Träume.

Viele von uns haben eine ganze Reihe von Ausreden auf

Lager, mit denen sie beweisen wollen, dass etwas nicht geht. Häufig hört man andere von ihren Zweifeln sprechen oder erklären, dass ihnen die Zeit, das Fachwissen, die Mittel oder das Geld fehlen. Doch wenn wir uns ein Ergebnis stark genug wünschen, bringen wir in anderen Bereichen Opfer, um es möglich zu machen. Meiner Erfahrung nach braucht man nicht viel freie Zeit, um sich einen Traum zu erfüllen. Das gilt auch für Geld und andere dazu notwendige Mittel. Was man aber unbedingt braucht, ist eine Vision, den Glauben daran und echte Entschlossenheit. Wenn du aktiv und hartnäckig auf dein Ziel hinarbeitest, wirst du einen Weg finden.

Vielleicht wollen wir unseren Luxus nicht aufgeben oder uns nicht den Mühen harter Arbeit unterziehen, um das gewünschte Ergebnis zu erreichen. Wir wollen unsere Komfortzone nicht verlassen. Wir akzeptieren unsere Mittelmäßigkeit, beklagen uns aber gleichzeitig darüber. Doch in diesem Fall bleibt unser Ziel außer Reichweite. «Ich bin noch nicht so weit», sagst du. Aber wann bist du so weit? Der Unternehmer und Milliardär Sir Richard Branson war als Kind Legastheniker. Trotzdem beteiligte er sich, nachdem er mit sechzehn Jahren die Schule abgebrochen hatte, an der Herausgabe einer Schülerzeitung. Kaum jemand hätte ihm damals bescheinigt, dass er «so weit» war. Aber er war hochmotiviert.

Obwohl Branson nichts von Flugzeugen verstand, gründete er 1998 die Fluggesellschaft Virgin Sun Airlines. Mittlerweile umfasst seine Virgin Group mehr als 400 Firmen. Branson ist mit siebzig Jahren noch genauso motiviert wie als Achtzehnjähriger. Glück hat er nicht; in seiner Geschichte wimmelt es von Reinfällen. Er ist einfach jemand, der an seine Vision glaubt und entsprechend handelt.

Veränderungen erfordern Aktivität

Einmal brauchte ich Geld, um Schulden zu bezahlen. Ich sorgte dafür, dass ich eine hohe Schwingungsfrequenz hatte und dass es mir gutging. Mehr unternahm ich nicht. Ich rechnete einfach damit, dass das Geld zu mir kommen würde.

Während dieser Zeit gewann ich bei einem Onlinegewinnspiel eine Armbanduhr. Normalerweise nahm ich an Gewinnspielen nicht teil, weil ich mir dabei keine Chancen ausrechnete, dieses Mal jedoch war ich optimistisch gewesen und hatte mitgemacht. Ich war dankbar, dass ich die Uhr gewonnen hatte, aber sie war nicht das, was ich zu diesem Zeitpunkt brauchte. Ich brauchte Geld.

Die Zeit verging, doch das benötigte Geld tauchte nicht auf. Allmählich verlor ich den Mut. Ich war sicher, dass es sich materialisieren würde – warum also kam es nicht? Da fiel es mir wie Schuppen von den Augen: Ich hatte nicht bemerkt, dass das Universum mir eine Möglichkeit geboten hatte, selbst aktiv zu werden. Ich hatte einen Preis gewonnen und nicht daran gedacht, dass er mir helfen könnte. Genau – ich hätte meinen Gewinn zu Geld machen können! Als ich meinen Fehler erkannte, verkaufte ich die Uhr sofort und erhielt so das Geld, das ich brauchte, um meine Schulden zu bezahlen.

Auf deinem Weg zum Ziel bietet das Universum dir manchmal Handlungsmöglichkeiten, die du vielleicht nicht auf den ersten Blick erkennst. Wenn du solche Möglichkeiten nicht wahrnimmst, kommst du nicht weiter. Wer erwartet, dass sich etwas verändert, ohne dass er selbst etwas dafür tut, gleicht einem Bäcker, der jeden Tag auf die gleiche Weise eine Schoko-Himbeertorte backt und hofft, dass auf einmal eine Schoko-Erdbeertorte dabei herauskommt. Doch wenn man die Himbeeren nicht gegen Erdbeeren austauscht, wird man niemals den gewünschten Kuchen erhalten. Das klingt ein bisschen albern und allzu offensichtlich, oder? Aber ganz viele Menschen gehen durchs Leben und erwarten, dass sich etwas ändert, obwohl sie selbst Tag für Tag das Gleiche tun. Mit ihren Gedanken, Worten und Gefühlen senden sie zwar ganz viel positive Energie aus, aber sie handeln nicht, daher fehlen die Schwingungen ihrer Taten.

Der bequeme Weg

Immer wieder stelle ich fest, dass viele Leute wissen, was sie tun müssten, um ihr Ziel zu erreichen, es aber nicht tun. Sie suchen nach Rechtfertigungen oder einfacheren Lösungen, weil der Weg zur richtigen Lösung ihnen zu langwierig oder zu mühevoll erscheint. So verwenden manche ihre Energie lieber darauf, einen Weg zu finden, wie sie das gewünschte Ergebnis mit geringerem Aufwand erreichen können. Die Optimierung von Arbeitsprozessen ist für die Produktivität zwar unerlässlich, aber auch solche Optimierungsprozesse erfordern große Anstrengungen. Wir müssen uns mit dem Gedanken anfreunden, dass manches nicht auf bequemen Wegen zu erreichen ist.

Wenn du zum Beispiel abnehmen möchtest, musst du ein Kaloriendefizit schaffen. Dafür musst du entweder deine körperliche Aktivität erhöhen oder deine Ernährung verbessern oder beides. Die meisten Menschen wissen das, aber viele lassen sich nicht darauf ein. Stattdessen suchen sie nach einer Wunderpille oder einer anderen Abkürzung, um ihr Problem zu lösen. Sie verwenden ungeheuer viel Zeit, Energie und Geld darauf, verschiedene Zaubermittel auszuprobieren, dabei könnten sie viel mehr erreichen, wenn sie sich einfach um eine andere Lebensweise bemühen würden.

Andere in der gleichen Situation tun vielleicht gar nichts. Sie jammern, dass sie kein Gewicht verlieren, handeln aber nicht. Viele von uns bezeichnen solche Menschen als träge. Normalerweise gibt es für ihr Verhalten zwei Gründe. Der erste besteht darin, dass sie nicht glauben, sie könnten die gewünschten Ergebnisse erzielen, daher geben sie sich von Anfang an geschlagen. Der zweite Grund ist, dass ihnen die Vorstellung, für das Ergebnis arbeiten zu müssen, zu abschreckend erscheint. Viele nehmen etwas gar nicht erst in Angriff, wenn ihnen der Weg zum Ziel zu schwierig vorkommt. Der Gedanke, ins Fitnessstudio zu gehen oder sich gesund zu ernähren, ist ihnen unangenehmer als die Vorstellung, so zu bleiben, wie sie sind. Daher handeln sie nicht. Sie halten sich an die einfacheren, bequemeren Alternativen – doch wir wachsen nur selten, wenn wir in unserer Komfortzone bleiben.

Leider warten viele von uns, bis sie keine andere Möglichkeit mehr haben, bevor sie sich für Veränderungen entscheiden. Sie handeln erst, wenn sie sehen, dass ihre derzeitige Situation schmerzhafter ist als alles, was sie durchmachen müssen, um das gewünschte Ziel zu erreichen. Manchmal können erst Leid und starker Druck große Veränderungen erzwingen. Deshalb geben manche Menschen sich auch mit toxischen Beziehungen zufrieden, bis sie fast daran zerbrechen. Die Vorstellung, single und vielleicht einsam zu sein, ist für sie abschreckender, als sich weiterhin mit einem Partner abzufinden, der sie missbraucht.

Wenn du dir etwas stark genug wünschst, wirst du die Schritte unternehmen, die erforderlich sind, um es zu verwirklichen. Warte damit nicht, bis deine Schmerzgrenze erreicht ist, denn auf diese Weise würdest du die Ergebnisse des Manifestationsprozesses nur noch weiter hinausschieben. Frage dich, wie wichtig es dir ist, dein Vorhaben zu verwirklichen. Ist dein Wunsch, dein Ziel zu erreichen, größer als deine Angst vor dem Weg dorthin?

Tritt aus deiner Komfortzone heraus
und stelle dich deinen Ängsten.
Du wächst an Herausforderungen,
nicht aber an einem bequemen Leben.

Konsequenz führt zum Ziel

Wir müssen unsere Ziele
mit Beharrlichkeit verfolgen.

Stell dir vor, du möchtest Muskeln aufbauen und Gewicht verlieren und besorgst dir daher bei einem Personal Trainer ein dreimonatiges Trainingsprogramm inklusive entsprechendem Ernährungsplan. Dann hältst du dich zu fünfzig Prozent an die Anweisungen, stellst aber nach einem Monat fest, dass du nicht die Ergebnisse erzielst, die du dir erhofft hattest. Daraus könntest du schließen, dass das Programm deines Trainers nichts taugt. Eine andere Möglichkeit wäre, dass du dich hundertprozentig an das Programm hältst, aber nach zwei oder drei Wochen noch keine Veränderung bemerkst. Wieder kannst du deinem Trainingsprogramm die Schuld geben. In beiden Fällen gibst du einfach auf.

Wer nur fünfzig Prozent des vorgesehenen Trainings absolviert, kann auch nicht mehr als fünfzig Prozent der gewünschten Ergebnisse erwarten. Ähnlich verhält es sich, wenn du das Training vorzeitig abbrichst. Ich habe selbst einmal zu Hause nach so einem Plan trainiert. Das Programm war auf zwei Monate ausgelegt, und nach einem Monat konnte ich noch keine bemerkenswerten Veränderungen feststellen. Trotzdem versprach ich mir, es durchzuziehen. Darüber bin ich froh: Am Ende des zweiten Monats hatte ich fast acht Zentimeter Taillenumfang verloren.

Die gleiche Konsequenz ist nötig, wenn du mit Meditationen, Affirmationen, Visualisierungen oder anderen Übungen arbeitest. Wenn sie dir Gewinn bringen sollen, musst du sie regelmäßig praktizieren. Verpflichte dich dazu. Nur wenn wir durchhalten, können wir Gewohnheiten schaffen, die unser Leben verbessern.

Wiederholung führt zu Meisterschaft. Nehmen wir zum Beispiel den legendären Fußballspieler David Beckham, der für seine hervorragenden Freistöße bekannt war. Jedes Mal, wenn er zu einem Freistoß antrat, war das Publikum sicher, dass der Ball im Netz landen würde.

Dieses Können fiel Beckham nicht über Nacht zu. Er übte immer und immer wieder. Er trainierte nicht nur so lange, bis ihm die Freistöße perfekt gelangen, sondern bis er sie nicht mehr vermasseln konnte. Und selbst als ihm bereits ein Freistoß nach dem anderen glückte, trainierte er beharrlich weiter. Aus Wiederholung entsteht Gewohnheit.

Nicht alle Methoden werden klappen oder optimal zu dir passen. Wichtig ist, dass du sie überprüfst und immer wieder anpasst. Machst du trotz konsequenter Bemühungen keine Fortschritte, könnte das ein Zeichen dafür sein, dass du etwas Neues ausprobieren musst. Lass dich von deiner Intuition leiten. Wenn etwas sich verkehrt anfühlt, ist es das normalerweise auch!

Gewöhnlich oder außergewöhnlich?

Der Unterschied zwischen gewöhnlich
und außergewöhnlich ist schnell erklärt:
Außergewöhnliche Menschen machen weiter,
selbst wenn sie mal keine Lust dazu haben.
Sie konzentrieren sich voll und ganz
auf ihre Ziele.

Wenn du ein Ziel verfolgst, für das du brennst, bist du hochmotiviert, es zu erreichen. Sagt dir aber der Weg dorthin nicht zu, dann überlegst du dir, ob das Ziel deine Mühen lohnt.

Die Motivation aufrechtzuerhalten ist nicht immer eine leichte Aufgabe, und schon gar nicht nach einem Rückschlag oder an einem trüben, dunklen Tag. Wenn du wenig motiviert bist, brauchst du vielleicht eine Auszeit, um deine Batterien wieder aufzuladen. Es könnte aber auch bedeuten, dass du nach neuer Inspiration suchen musst. Fehlt es dir dann immer noch an Motivation, gib nicht auf, sondern erledige deine Aufgaben trotzdem. Du hast nicht erwartet, dass ich das sagen würde, oder? Es klingt vielleicht nicht sehr verlockend, aber ich habe festgestellt, dass Durchhaltevermögen eine wichtige Eigenschaft außergewöhnlicher Menschen ist. Es geht um Engagement. Wenn du keine Lust hast, dich in aller Herrgottsfrühe aus dem Bett zu quälen, oder wenn es dir eigentlich zu mühsam ist, zu einer Besprechung am anderen Ende der Stadt zu fahren – mach es trotzdem, weil du weißt, dass die Anstrengungen, die du jetzt investierst, sich später auszahlen werden.

Obwohl Schreiben eine meiner Leidenschaften ist, gebe ich gern zu, dass ich bei manchen Aufgaben, die mit der Fertigstellung dieses Buches zusammenhängen, stöhne. Bestimmte Arbeiten machen mir einfach keinen Spaß – aber auch während ich diese Worte schreibe, konzentriere ich mich auf das Ergebnis.

Wenn du in der richtigen Stimmung bist, gehen dir die Arbeiten, die du auf dem Weg zu deinem Ziel erledigen musst, leichter von der Hand. Doch wenn du ein außergewöhnliches Leben anstrebst, darf auch schlechte Stimmung dich nicht von der Arbeit abhalten.

Aufschieberitis verzögert
die Erfüllung deiner Träume

Wenn Aufgaben, die du zu erledigen hast, dir wie ein unüberwindlicher Berg erscheinen und du gar nicht weißt, wo du anfangen sollst, schiebst du sie auf die lange Bank – immer und immer wieder; vielleicht lenkst du dich mit etwas ab, das dir leichter fällt oder mehr Spaß macht. Man bezeichnet das auch als Prokrastination. Aber wenn du deine Ziele verwirklichen willst, musst du dir das abgewöhnen, und zwar bevor die Aufschieberitis deine Träume zerstört.

Folgende Verhaltensweisen sind typisch für chronische Aufschieberitis:

- Dinge auf später oder auf die letzte Minute verschieben
- weniger wichtige Aufgaben vor dringenden Aufgaben erledigen
- sich vor oder während einer Tätigkeit ablenken lassen
- etwas erst angehen, wenn es unvermeidlich ist
- behaupten, dass man keine Zeit für etwas hat
- auf den richtigen Zeitpunkt oder die richtige Stimmung für eine Arbeit warten
- Aufgaben nicht zu Ende bringen

Erkennst du dich darin wieder? Bist du jemand, der anstrengende Aktivitäten gern vermeidet? Manche von uns tun alles, nur nicht das, was sie tun müssten, um ihre Ziele zu erreichen. Wer zum Beispiel eine Deadline für einen Essay hat, surft vielleicht erst mal im Netz, bevor er anfängt zu schreiben. Damit vergeudet er kostbare Zeit.

Wir schieben nicht nur kleine Arbeiten auf, sondern auch jene Tätigkeiten, die uns unseren größten Zielen näherbringen sollen. Der Klient eines Freundes, nennen wir ihn Malcolm, ist dafür ein gutes Beispiel. Malcolm war ängstlich, nicht bereit, seine Komfortzone zu verlassen, und grübelte zu viel. Das sind charakteristische Eigenschaften von Menschen, die unter chronischer Aufschieberitis leiden. Sie führten dazu, dass Malcolm vom Weg zu seinem Ziel abkam.

Malcom suchte meinen Freund auf, weil dieser ihm helfen sollte, seinen großen Traum zu verwirklichen: Er wollte eine eigene Firma gründen. Dazu würde er seine gesamte Zeit brauchen, und das hieß, dass er seinen derzeitigen Job kündigen musste.

Malcolm fürchtete sich, denn er sah noch nicht, wie er mit seiner Geschäftsidee ein ausreichendes Einkommen erzielen konnte. Ihm fehlte der Glaube an sich selbst. Er zweifelte an seinem Potenzial und wollte nicht riskieren, seinen komfortablen Lebensstil aufzugeben. Er sagte sich, sein Ziel sei unrealistisch, deswegen habe er es nicht weiter verfolgt.

Nachdem mein Freund ihm bei den ersten Schritten auf dem Weg zu seiner eigenen Firma geholfen hatte, redete Malcolm sich plötzlich ein, dass er für alles Weitere noch nicht ausreichend informiert sei. Er hatte das Gefühl, er müsse noch mehr recherchieren, und dazu brauche er Zeit. Doch hinter seinem Bedürfnis nach weiteren Informationen stand seine Angst vor dem Scheitern.

Wer ein erfolgreiches Unternehmen gründen will, muss sich vorher natürlich gründlich informieren. Insofern war Malcolms Absicht vernünftig. Sein Problem war aber, dass er bereits alle Informationen besaß, die er brauchte. Er bildete sich bloß ein, dass seine Nachforschungen nicht ausreichten, denn er brauchte einen Vorwand, um nicht aktiv werden zu müssen. Malcolm brannte darauf, eine eigene Firma zu gründen, und er war überzeugt, dass er der Welt damit einen Dienst erweisen würde, aber leider fehlte ihm das Selbstvertrauen, um den Sprung zu wagen.

Nachdem er Monate damit verbracht hatte, jede Einzelheit seines Plans zu untersuchen, kam Malcolm zu dem Schluss, dass seine Idee keinen Sinn hatte. Er schrieb sie komplett ab. Damit hatte er es geschafft, sich seinen Traum auszureden. Für meinen Freund war das ein Schock, denn er konnte sehen, dass Malcolm großes Potenzial besaß und dass ihm sehr viel an einer eigenen Firma lag.

Aber die Geschichte geht noch weiter: Nach einiger Zeit wurde Malcolm betriebsbedingt gekündigt. Statt sich einen neuen Arbeitgeber zu suchen, entschied er sich nun, die Abfindung in seine gründlich recherchierte Geschäftsidee zu investieren. Jetzt hatte er keine andere Wahl mehr, er musste es schaffen, weil er ein Einkommen brauchte, von dem er leben konnte.

Mit etwas Kapital und ohne Alternative wurde Malcolm endlich aktiv. Seine Firma war ein Erfolg. Wäre ihm nicht gekündigt worden und hätte er keine Abfindung erhalten, dann wäre sein Traum vielleicht nie Realität geworden. Inzwischen hat Malcolm erkannt, dass seine Angst ihn anfangs zurückgehalten hatte, und er wünschte, er hätte die Firma eher gegründet.

Du brauchst nicht alles bis ins letzte Detail durchzuplanen. Je mehr du überlegst, desto mehr fürchtest du dich vor dem Start und schiebst ihn auf. Hab Mut und beginne jetzt, auch wenn du nur einen kleinen Schritt machst.
Fang einfach an!

Wenn du merkst, dass du etwas aufschiebst, entwickle eine Strategie, um dagegen anzugehen. Bei kleineren Zielen, wie einen Aufsatz fertig zu schreiben, ist das einfach. Größere Ziele, etwa die erfolgreiche Internetfirma, bieten ganz andere Herausforderungen.

Schaffe dir daher Teilziele. Ein großes Ziel mag entmutigend wirken, weil du dir kaum vorstellen kannst, dass du es jemals erreichen wirst. Daher ist es effektiver, wenn du dir kleinere Ziele setzt und sie nach ihrer Dringlichkeit ordnest.

Wenn deine Teilziele dir immer noch groß erscheinen, mache sie einfach noch kleiner.

Wenn du es schaffst, diese kleineren Ziele zu erreichen, wirst du auch die größeren mit mehr Zuversicht angehen. Selbst wenn du Geld manifestieren möchtest, strebe zunächst einen Betrag an, der nur ein Bruchteil der Summe ist, die du dir wünschst. Wenn dein Ziel also 10 000 Pfund sind, fange mit einem Betrag von 100 Pfund an. Wenn du diese 100 Pfund zusammenhast, kannst du weitere 100 Pfund anpeilen, bis du schließlich dein Ziel erreicht hast.

Der menschliche Körper bildet verschiedene Arten von «Glückshormonen», darunter Dopamin, Serotonin, Oxytocin und Endorphine. Insbesondere Dopamin ermutigt uns, Schritte auf ein Ziel hin zu unternehmen, und es verschafft uns auch angenehme Gefühle, sobald wir das Ziel erreicht haben. Wenn uns die Begeisterung für eine Aufgabe fehlt, heißt das, dass unser Dopaminspiegel niedrig ist.

Indem du große Ziele in mehrere Etappen aufteilst, überwindest du diesen Antriebsmangel, denn dein Gehirn belohnt dich jedes Mal, wenn du ein Teilziel erreicht hast, mit der Ausschüttung von Dopamin. Das ermutigt dich, weiter auf das große Ziel hinzuarbeiten.

Wenn dein letztes Ziel zeitgebunden ist, achte darauf, dass du für die Teilziele Deadlines setzt. Nur wenn du die kleineren Ziele rechtzeitig erreichst, gelingt dir das auch bei den großen.

Solltest du trotzdem noch mit Aufschieberitis zu kämpfen haben, probiere es mit folgenden Techniken:

1. Schalte möglichst alle Ablenkungen aus, selbst wenn das bedeutet, dass du deine Umgebung verändern musst. Hast du mal erlebt, dass du Hunger hattest und irgendwas Ungesundes genascht hast, einfach weil es da war? Hättest du es nicht in greifbarer Nähe gehabt, dann wärst du gar nicht in Versuchung gekommen. Wir lassen uns von Dingen ablenken, die uns leicht zugänglich sind.

2. Schaffe dir einen Anreiz, die Aufgabe zu beenden. Sage dir zum Beispiel, dass du Freunde treffen darfst, sobald du mit deiner Arbeit fertig bist. Dann hast du etwas, worauf du dich freuen kannst, und bist motiviert loszulegen.

3. Plane Pausen ein, in denen du etwas Schönes machst. Wir alle brauchen bei der Arbeit kleine Auszeiten. Achte aber darauf, dass du deine Pausen zeitlich begrenzt. Wenn du eine neue Folge von einer Serie gucken möchtest, setze ein Zeitlimit dafür fest und überschreite es nicht.

4. Werde kreativ. Gestalte deine Aufgaben reizvoller. Wenn du Arbeiten ausführst, bei denen du nicht viel nachdenken musst, könntest du im Hintergrund Musik laufen lassen. Das erhöht deine Schwingungsfrequenz. Und vielleicht macht dir die Arbeit sogar noch mehr Spaß, wenn du mitsingst.

5. Hole dir Hilfe, wenn nötig. Fürchte dich niemals davor, um Hilfe zu bitten. Sprich mit jemandem, der in letzter Zeit ein ähnliches Ziel erreicht hat wie das, das du dir gesetzt hast. Ein solches Gespräch kann dir dringend benötigte Inspiration und wertvolle Hinweise geben.

6. Lege fest, welche Konsequenzen es hat, wenn du nicht handelst. Du kannst dir zum Beispiel sagen, dass du die ganze Woche nicht fernsehen darfst, wenn du heute nicht ins Fitnessstudio gehst. Damit du das auch durchhältst, berichte anderen davon. Und damit komme ich zu meinem letzten Punkt:

7. Sprich mit vertrauenswürdigen Freunden über deine Absichten. Dadurch versetzt du dich in die Situation, dich rechtfertigen zu müssen, wenn du dich nicht an deine Pläne hältst. Vielleicht geben deine Freunde dir sogar einen kleinen Schubs, damit du auch ganz bestimmt erreichst, was du dir vorgenommen hast.

Die Gesellschaft der Sofortlösungen

Um deine Ziele zu erreichen, brauchst du Geduld. Es kann eine Weile dauern, bis deine Wünsche Wirklichkeit werden. Wenn du tust, was in deiner Macht steht, um sie zu realisieren, musst du dich manchmal nur noch in Geduld üben. Akzeptiere den heutigen Tag so, wie er ist, und bleibe auch dann optimistisch, wenn du mit Verzögerungen, Rückschlägen oder anderen Herausforderungen konfrontiert wirst.

Zeit ist dein kostbarstes Gut. Einmal vergangen, ist sie unwiederbringlich verloren. Das ist der Grund, weshalb Firmen, deren Dienstleistungen und Produkte ihren Kunden Zeit sparen, häufig blühen und gedeihen. Solche Unternehmen können unsere Lebensqualität zwar deutlich verbessern, andererseits aber tragen sie auch dazu bei, dass wir in einer Gesellschaft der Sofortlösungen leben.

In unserer Gesellschaft wird verlangt, dass Hindernisse augenblicklich aus dem Weg geräumt werden. Wir wollen für das erwünschte Ergebnis immer weniger Zeit und Mühe aufwenden. Modeversandfirmen schicken uns über Nacht neue Kleidung. Über Onlinedienste wie Amazon Prime erhalten wir alle nur denkbaren Waren innerhalb von einem Tag. Wenn du dir einen Film oder eine Fernsehsendung angucken willst, gehst du einfach auf Netflix und suchst dir etwas aus. Du willst ein Date? Dazu brauchst du bloß durch eine Dating-App zu wischen. Die Küche bleibt kalt, weil du dir in wenigen Minuten ein Fertiggericht in der Mikrowelle erhitzen kannst. Geduld ist nicht mehr nötig – unsere Wünsche werden sofort und auf der Stelle erfüllt.

Es ist nichts daran auszusetzen, wenn man sich ab und zu solche Sofortlösungen gönnt, aber sie haben eine Kultur der Ungeduld geschaffen. Wir wollen nicht mehr warten. Und falls wir doch warten müssen, verlieren wir leicht den Glauben an unser Vorhaben, da wir annehmen, dass alles schnell und mit minimalem Aufwand passieren muss. Versteh mich nicht falsch: Wenn du blitzschnell etwas Tolles erreichen kannst, ist das hervorragend. Du solltest jedoch nicht vergessen, dass die meisten Dinge im Leben Mühe und Ausdauer erfordern.

Der Lebensstil der Sofortlösungen verleitet uns dazu, ein Ziel aufzugeben, wenn es sich nicht so rasch verwirklichen lässt, wie wir gehofft hatten, und uns das nächste zu suchen. Doch das wird dich niemals befriedigen. Häufig sind deine Ziele durchaus realistisch, aber entweder bemühst du dich nicht genügend um die Verwirklichung, oder aber du erwartest, dass du von heute auf morgen Erfolg hast. Übe dich also ein wenig in Geduld.

Du wirst den Job, die Partnerin, das Haus,
das Auto und noch viel mehr bekommen,
aber überstürze nichts. Hab Vertrauen
in den Prozess der Verwirklichung.
Du musst in deine Träume hineinwachsen.

Kurzfristiges Vergnügen oder langfristiger Gewinn?

*Du verpasst nichts Wichtiges,
wenn du deine Zeit darauf verwendest,
dein Leben großartiger zu gestalten.*

Heutzutage gehe ich normalerweise nur noch zu Partys, wenn es etwas ganz Bestimmtes zu feiern gibt. Aber als ich so um die zwanzig war, bin ich viel in Clubs gewesen, an den verschiedensten Orten. Ich bin sogar von London bis nach Cancún in Mexiko geflogen, bloß weil ich den wegen Alkohol- und anderer Exzesse berüchtigten American Spring Break, die Frühjahrsferien der US-amerikanischen Studenten, miterleben wollte. Ich lebte nur für den Moment. Das ist wichtig, denn wir haben, wie schon besprochen, immer nur den gegenwärtigen Moment, daher sollten wir ihn genießen. Doch wenn du Ziele hast, ist ein gesundes Gleichgewicht zwischen dem Leben für den Moment und der Investition in die Zukunft notwendig.

Als ich im Büro arbeitete, war ich freitags immer voller Vorfreude, denn ich wusste, dass ich am arbeitsfreien Wochenende feiern gehen würde. Ich fing an, auf das Wochenende hin zu leben, obwohl mir klar war, dass das nicht alles sein konnte. Am Wochenende belohnte ich mich. Ich betrank mich und gab mein schwer verdientes Geld in Nachtclubs aus. Wenn ich dann betrunken war, fühlte ich mich für den Moment großartig.

Doch eigentlich sagten mir diese Handlungen:

Sieh mich an! Ich arbeite endlose Stunden in einem Job, der mir nicht gefällt, für einen Chef, der mich nicht respektiert. Deswegen lebe ich für die Wochenenden, da feiere ich meine Freiheit und gebe mein hart verdientes Geld für überteuerte, todbringende Flüssigkeiten in schicken Flaschen aus. Auf diese Weise bin ich dann für ein paar Momente zufriedener mit meinem Leben, denn ich entkomme der Realität, mit der ich während meiner Arbeitswoche konfrontiert bin, und imponiere anderen, die vielleicht in einer ähnlichen Notlage sind.

Im tiefsten Inneren fragte ich mich immer wieder, wann mein Leben denn endlich der Vision ähneln würde, in der ich eine eigene Firma hatte und meine Tätigkeit liebte. Ich erwartete, dass diese Veränderung sich eines Tages ganz zufällig ergeben würde.

Immer wieder jammerte ich, dass ich für die Verwirklichung meiner Träume kein Geld hatte. Es war paradox, aber ich weiß, dass ich mit diesem Verhalten nicht allein war. Viele Leute beklagen sich, dass ihnen für die Gründung einer eigenen Firma die Zeit oder das Geld fehlt, gleichzeitig aber verwenden sie eine Menge Zeit und Geld auf Freizeitaktivitäten. In manchen Clubs kostet ein einziger Drink mehr als ein Buch. Und welches von beiden könnte dein Leben verändern? Viele von uns investieren an den falschen Stellen, und häufig finanzieren sie damit unwissentlich die Träume von anderen – von Menschen, die wie blöd geschuftet haben und dank deines Geldes ihr Ziel verwirklichen konnten.

Sehr viele Menschen leben so wie ich damals. Und wenn sie ihr Geld nicht fürs Feiern ausgeben, dann für etwas anderes. Ja, wir sollten das Leben genießen und aus jedem Moment das Beste machen. Doch wenn du die Erfüllung deines größten Wunsches gegen etwas eintauschst, das dich nur im jetzigen Moment befriedigt, beraubst du dich selbst der wahren Schätze des Lebens. Du hast zwar die Freiheit, Entscheidungen zu treffen, doch den Konsequenzen kannst du nicht entfliehen. Manchmal müssen wir kleine Dinge opfern, um die größeren Geschenke im Leben zu erhalten.

«Wenn ich dies und jenes erst habe, bin ich glücklich», denken die meisten, und entsprechend verfolgen sie ihre Ziele. Dabei übersehen sie allerdings, dass sie sich auch jetzt schon an jedem Moment freuen können, wenn sie achtsam und dankbar leben.

Ich sage damit nicht, dass du deine profanen Wünsche immer unterdrücken solltest oder keinen Spaß mehr haben darfst. Aber schaffe ein gesundes Gleichgewicht zwischen Arbeit und Freizeit und setze deine Zeit und deine Energie maßvoll ein.

Vertrauen versus Furcht

Du kannst dir noch so viele Sorgen machen, deine
Probleme wirst du damit nicht lösen. Setze deine
Aufmerksamkeit und deine Energie klüger ein.
Du kommst in der Welt nur weiter, wenn du deine
Bedenken, Ängste und Sorgen hinter dir lässt.

Vertrauen zu haben ist eine bewusste Entscheidung, die wir treffen, um optimistisch zu bleiben. Zeitweise kann es ungeheuer herausfordernd sein, darauf zu vertrauen, dass wir unsere Ziele erreichen. Ängste schleichen sich ein und täuschen dich. Sie führen dich fort von dem großartigen Leben, das dir bestimmt ist.

Furcht hilft uns, physischem Schaden oder tödlichen Bedrohungen aus dem Weg zu gehen. Oft lassen wir sie jedoch aus Bequemlichkeit zu – um Herausforderungen zu meiden. Dann sorgt sie dafür, dass unser Leben mittelmäßig bleibt, weil sie uns dazu bringt, nicht nur vor tatsächlichen Gefahren, sondern auch vor unserem Potenzial zu fliehen. Sie behindert uns im Alltag. Wir verwenden kostbare Energie darauf, uns auszumalen, was alles schieflaufen könnte, statt darauf zu vertrauen, dass es gut laufen wird. Und das wiederum spiegelt sich in unseren Handlungen.

Sowohl Vertrauen als auch Angst verlangen von dir, dass du an etwas glaubst, das nicht zu sehen ist. Vielleicht fürchtest du dich davor, nach draußen in die Kälte zu gehen. Du bist überzeugt, dass du davon krank wirst, obwohl du im Moment kerngesund bist und ein kurzer Ausflug ins Kalte dir höchstwahrscheinlich nicht schaden würde. Solange die befürchtete Krankheit sich nicht in der Realität manifestiert, bleibt sie also einfach ein Produkt deiner Phantasie.

Unsere Annahmen beruhen häufig auf Ängsten.
Leider jedoch können solche Annahmen, wenn
wir ihnen Energie geben, zu Erfahrungen werden.

Angst senkt deine Schwingungsfrequenz und führt daher zu mehr von dem, was du in deinem Leben nicht haben willst. Anders als Vertrauen entmachtet sie den Verstand, und das spiegelt sich in deinen Erlebnissen wider. Sobald du die Angst überwindest, machst du positivere Erfahrungen. Ein furchtloser Chirurg zum Beispiel arbeitet wahrscheinlich weniger zögerlich und konzentrierter als sein ängstlicher Kollege. Seine Entscheidungen können bedeutend besser sein, was entsprechend bessere Ergebnisse zur Folge hat.

Wenn wir Angst durch Vertrauen ersetzen, finden wir den Mut, das Reich des Möglichen zu erkunden. Vertrauen macht unsere Aufgaben zwar nicht unbedingt einfacher, aber es macht sie lösbar. Zur Verfolgung deiner Ziele brauchst du felsenfestes Vertrauen, das auch dann unerschütterlich bleibt, wenn du mit gehässigen Kommentaren oder unglücklichen Schicksalsfügungen konfrontiert wirst. Ich meine hier jene Art von Vertrauen, die dich auch in Momenten, in denen du nur Niederlagen siehst, sagen lässt: «Ich werde gewinnen.»

Manchmal ist es alles, was wir haben – unser Vertrauen darauf, dass die Lage sich bessern wird. Halte daran fest und glaube an dich, selbst wenn du damit ganz allein dastehst.

Überlasse dich dem Fluss des Universums

Sende gute Schwingungen aus und lerne,
im Fluss zu bleiben. Du brauchst Ergebnisse nicht
zu erzwingen. Sobald du in Harmonie mit dem
Universum bist, kommt das, was dir bestimmt ist,
auf dich zu.

Kein Mensch auf der Welt erreicht alle seine Ziele, die er sich gesetzt hat, in der gewünschten Zeit. Du hast durch deine Schwingungen zwar Einfluss auf das Ergebnis, aber du musst akzeptieren, dass alles sich in seiner eigenen Zeit und zu deinem höchsten Wohl entfaltet – und manchmal heißt das in einer Weise, die du dir nicht vorgestellt hast.

Wenn du deine Manifestationsfähigkeiten gut geschult hast, musst du deine Anhaftung an dein Ziel loslassen. Sobald du nämlich versuchst, ein Ergebnis mit Gewalt zu erzwingen, nährst du Angst und Zweifel und baust damit Widerstände auf. Wenn du jedoch mit dem Herzen dabei bist, kann nur Gutes entstehen.

Es sieht vielleicht so aus, als wäre das nicht immer der Fall. Aber denke daran, dass Zurückweisungen einfach Umleitungen zu etwas Besserem sind. Rückschläge sind Pausen zum Nachdenken, Gelegenheiten, um deine Pläne zu ändern – zum Besseren. Und wie groß ein Misserfolg dir anfangs auch erscheinen mag, du kannst immer daraus lernen. Nur mit Vertrauen können wir den Wert scheinbarer Fehlschläge erkennen. Das sehnsüchtig Gewünschte erscheint oft in ungewöhnlicher Verpackung.

Lerne, loszulassen und im Fluss zu bleiben. Aktivität und Passivität müssen, wie schon zu Beginn dieses Buches erwähnt, ausgeglichen sein. Tue dein Bestes, um das zu erreichen.

SIEBTER TEIL

SCHMERZ
UND BESTIMMUNG

Einstieg

Das Leben fordert dich nicht zum Kampf,
weil du schwach bist, sondern weil du stark bist.
Es weiß, wenn es dir Leid zufügt, wirst du
deine Kraft erkennen.

Ich bin davon überzeugt, dass an dem Spruch «Alles hat seinen Sinn» etwas dran ist. Jede Erfahrung in deinem Leben ist dazu gedacht, dich zu formen und dir zu helfen, zur besten und stärksten Version deiner selbst heranzuwachsen. Das bedeutet, dass du ein negatives Erlebnis nicht als Grund zum Leiden ansehen musst, sondern es als Gelegenheit betrachten kannst, dich weiterzuentwickeln. (Das heißt nicht, dass wir nicht trauern oder uns niedergeschlagen fühlen sollten, wenn wir schmerzhafte Erfahrungen machen. Es ist wichtig, dass du dir nach solchen Ereignissen Zeit für die Heilung lässt.) Wenn du immer das Opfer spielst, sobald etwas schiefläuft, wird das Leben dich auch immer wie ein Opfer behandeln. Lasse nicht zu, dass deine gegenwärtigen Lebensumstände deine Zukunft bestimmen.

Es ist nicht immer leicht, den Sinn hinter den Ereignissen im Leben zu erkennen. Wer etwas Furchtbares erlebt, dem fällt es normalerweise sehr schwer, einen Sinn darin zu sehen. Er spürt nur Schmerz oder steht unter Schock, und wenn du von einem Sinn hinter seiner Erfahrung sprichst, zeigst du damit seiner Ansicht nach bloß, dass du dich in seine Situation nicht einfühlen kannst. Die meisten von uns machen jedoch mindestens ein Mal im Leben eine Zeit durch, die ihnen sehr hart erscheint. In gewissem Maße können wir also sehr wohl nachvollziehen, wie jemand sich fühlt, wenn er niedergeschlagen ist, denn wir haben selbst schon Tiefpunkte erlebt.

Manchmal müssen wir einfach daran glauben, dass es einen guten Grund für solche schweren Zeiten gibt und dass er sich zeigen wird, wenn wir bereit sind, ihn anzuerkennen.

Wenn mein Vater nicht so früh in meinem Leben gestorben wäre, würde ich jetzt nicht hier sitzen und versuchen, andere Leute zu inspirieren. Ich hätte vollkommen andere Geschichten zu erzählen, weil ich andere Erlebnisse gehabt hätte. Das macht die Tatsache, dass er so früh gestorben ist, für ihn und für uns alle kein bisschen besser. Wenn er bei uns geblieben wäre, wären mir vielleicht viele Schwierigkeiten erspart geblieben. Andererseits hat die Überwindung dieser Schwierigkeiten mich zu dem gemacht, der ich heute bin. Dass ich diese positive Entwicklung erkenne, verändert meine Einstellung zu seinem Tod, sodass ich kraftvoll weiterleben kann.

Die Vergangenheit lässt sich nicht verändern; wir können sie nur anders wahrnehmen. Wenn wir unsere Einstellung zu ihr verändern, wächst nach und nach unser Vertrauen, dass alles, was uns geschieht, *für* uns geschieht. Sobald wir beginnen, die Vergangenheit positiv wahrzunehmen, wird

Dass du den Sinn hinter einer
herausfordernden Zeit nicht sehen kannst,
heißt nicht, dass es keinen gibt.

das Leben besser. Verändern wir unsere Wahrnehmung der Vergangenheit jedoch nicht, dann verlieren wir Lebensfreude und geraten in Zustände mit niedrigen Schwingungsfrequenzen.

Schmerz verändert uns

Kurz bevor das Leben dir Segen bringt,
prüft es dich.

Manche der schönsten Veränderungen im Leben sind das Ergebnis äußerst schmerzhafter Erfahrungen. Wir müssen Tiefen erfahren, um die Klugheit, die Kraft und das Wissen zu erwerben, die wir brauchen, um die Höhen würdigen zu können.

Wenn wir auf dem Weg zu Veränderungen auf die Probe gestellt werden, kann das Leben uns verwirren und scheinbar überfordern. Es ist dann ungeheuer schwierig, dem Prozess zu vertrauen und weiterhin fest daran zu glauben, dass sich etwas Gutes daraus ergeben wird. Doch wir müssen uns in Erinnerung rufen, dass wir mit Hilfe dessen, was wir auf dem Weg lernen, bessere Entscheidungen für unser Weitergehen treffen können. Wenn du schon einmal Liebeskummer hattest, entscheidest du dich vielleicht, besser aufzupassen, wenn du das nächste Mal einen Partner wählst. Das wiederum kann dich auf den Weg führen, auf dem du deinem Seelengefährten begegnest – einem Menschen, der dich viel besser behandelt als alle anderen jemals zuvor.

Jede Entscheidung, die du triffst, führt zu weiteren Entscheidungen. Erinnerst du dich noch an das, was wir über die Macht eines einzelnen Gedankens gesagt haben? Mit Entscheidungen verhält es sich ganz ähnlich. Denke stets daran, dass dein Tag sich vollkommen anders entwickeln kann, wenn du nur eine einzige Entscheidung anders triffst als sonst. Nimm einmal an, ein junger Mann möchte eine junge Frau zum ersten Date vor dem Kino treffen. Er beschließt, noch etwas zu essen, bevor er losgeht, und als Folge davon wird sein Magen unruhig. Er muss zur Toilette und verlässt seine Wohnung schließlich zu spät. Die junge Frau hat keine Lust mehr zu warten und verlässt das Kino, ein paar Minuten bevor er eintrifft.

Als er am Kino ankommt und sieht, dass sie nicht mehr da ist, macht er sich enttäuscht auf den Heimweg. Zufällig trifft er unterwegs eine andere junge Frau, die er sofort sehr anziehend findet. Nun male dir aus, wie die beiden ins Gespräch kommen, sich verlieben, heiraten und Kinder bekommen. Das alles passiert einzig und allein, weil er sein ursprüngliches Date verpasst hat.

Alles ist miteinander verbunden. Wenn in deiner Vergangenheit etwas Tragisches geschehen ist, denke an etwas Gutes, das dir erst kürzlich widerfahren ist – beide Ereignisse sind miteinander verbunden. Die schmerzhafte Erfahrung hat dich bestimmte Entscheidungen treffen lassen, die wiederum dazu führten, dass du kürzlich etwas Gutes erlebt hast.

Manchmal müssen wir auf bestimmte Vorfälle im Leben zurückblicken und Verbindungslinien zu unserer heutigen Situation ziehen. Wahrscheinlich hatte jede dieser Begebenheiten einen Sinn. Wenn wir genau hinschauen, verstehen wir die Zusammenhänge vielleicht nach und nach. Das gibt uns dann die Gewissheit, dass alle zukünftigen Ereignisse, mögen sie uns Leid oder Freude bringen, einen Sinn haben.

Lektionen wiederholen sich

Das Leben konditioniert dich. Es stellt dich vor unglaubliche Herausforderungen, erlegt dir schwerste Prüfungen auf und scheint oft kein Mitleid zu kennen. Doch du stehst das durch und bist danach eine neue, verbesserte Version deiner selbst, weil du die Schwierigkeiten gemeistert hast.

Wenn du das nächste Mal ein Stoßgebet sprichst, dass deine Situation sich bitte ändern möge, mache dir klar: Diese Situation soll dir eine Möglichkeit bieten, *dich selbst* zu verändern. Das Leben erteilt uns Lektionen, die wir bewältigen können und die das Beste in uns hervorbringen. Anschließend prüft es uns, um sicherzustellen, dass wir unsere Lektion gelernt haben. Manche Prüfungen sind grausam, andere eher leicht.

Es kommt vor, dass wir immer wieder vor den gleichen Hindernissen stehen. Das bedeutet, dass wir noch mehr zu diesem Thema lernen müssen. Wenn man feststellen möchte, ob jemand seine Lektion wirklich gelernt hat, ist die beste Methode, ihn im Laufe der Zeit mehr als ein Mal zu prüfen. Wenn ich dir jetzt gleich etwas beibringen würde, hättest du es in zwei Stunden noch frisch im Gedächtnis und würdest einen Test dazu vermutlich mit Leichtigkeit bestehen. Wenn ich dir diesen Test jedoch erst in einigen Monaten vorlegte, wäre er schwieriger für dich. Erst dann würde er wirklich überprüfen, ob du das, was ich dich gelehrt habe, verstanden und behalten hast.

Wenn du zum Beispiel überstürzt eine Beziehung mit einem Menschen eingehst, den du kaum kennst, und am Ende dann verletzt wirst, sollst du daraus vielleicht lernen, dass du potenzielle Partner erst näher kennenlernen musst, bevor du eine Beziehung zu ihnen aufbaust.

> *Einfach nur zu sagen, dass du*
> *deine Lektion gelernt hast, reicht oft nicht –*
> *du musst es beweisen.*

Das Universum könnte also dafür sorgen, dass du jemand anders kennenlernst, einen Menschen mit unwiderstehlichem Charme. Nun hast du die Gelegenheit zu zeigen, ob du deine Lektion gelernt hast. Wenn du erneut überstürzt eine Beziehung mit ihm eingehst, wirst du vielleicht wieder verletzt. Das ist natürlich nur ein Beispiel, nimm es nicht zu ernst. Aber ich hoffe, du siehst daran, dass wir in schwierigen Situationen vom Leben geprüft werden. Und wie jeder gute Lehrer gibt es uns manchmal mehr als ein Mal die gleiche Aufgabe. Beim zweiten oder dritten Mal wird sie vielleicht sogar noch schwerer.

Beachte die Warnsignale

Wenn du in ein Auto steigst, befürchtest du nicht gleich, dass der Fahrer einen Unfall bauen wird. Sonst würdest du ständig in Angst leben, und das würde dich verrückt machen. Trotzdem kannst du bestimmte Maßnahmen ergreifen, etwa den Sicherheitsgurt anlegen, um dich vor schweren Verletzungen zu schützen, falls es doch zu einem Unfall kommen sollte. Diese Handlung kann zwar durch Angst ausgelöst sein, aber schließlich hat es auch einen Grund, dass Angst existiert: Sie schützt uns vor Gefahr.

Wenn du einen Autounfall verursachst, weil du zu viel Alkohol getrunken hast, ist das verantwortungslos. Noch unverantwortlicher aber wäre es, wenn du danach erneut angetrunken Auto fahren würdest. In diesem Fall forderst du ein Unglück geradezu heraus, und nicht nur du, sondern auch andere könnten dabei sterben. Mit anderen Worten: Du ignorierst die Lektion und machst dem Universum damit klar, dass du sie wiederholen musst.

Achte daher gut auf die Warnsignale. Das Universum leitet dich stets dazu an, authentisch und zielstrebig zu leben und großartige Erfahrungen zu machen. Aber wenn etwas nicht so läuft, wie du es dir gewünscht hast, überlege, was du daraus lernen kannst – denn in jeder schwierigen Erfahrung

Wenn du immer wieder
von dem Kuchen isst, der dir geschadet hat,
bist du nicht mehr Opfer, sondern du fügst dir
vor lauter Gier selbst Schaden zu.

können wir etwas für unser Leben lernen. Frage dich, welche Veränderungen du vornehmen musst. Versuche nicht, Entscheidungen zu rechtfertigen, die du bereits als falsch erkannt hast. Und lasse dich nicht von emotionalem Verlangen oder der Hoffnung auf vorübergehende Bequemlichkeit verlocken, weiteres Leid zu riskieren.

Deine Bestimmung

Von Geburt an verfügst du über Potenzial,
Fähigkeiten, Gaben, Weisheit, Liebe und
Intelligenz, um das alles mit der Welt zu teilen.
Du bist hier, um die Welt zu einem besseren Ort
zu machen. Du hast eine Bestimmung,
und solange du sie nicht lebst, wirst du eine Leere
in dir spüren. Es ist ein Gefühl, das du nicht
richtig erklären kannst, aber es sagt dir,
dass du zu mehr bestimmt bist.

Ich glaube, dass jeder Mensch im Leben eine Bestimmung hat: Wir sollen der Welt dienen. Diese Bestimmung ist zusammen mit der Erfahrung von bedingungsloser Liebe und Freude der Grund für unsere Existenz. Sie gibt unserem Leben Sinn.

Vielen von uns fällt es schwer, ihre wahre Bestimmung zu erkennen. Andere sind sich zwar über den Sinn ihres Lebens im Klaren, fühlen sich aber gezwungen, sich den gesellschaftlichen Normen zu fügen, und lehnen es aus praktischen Gründen ab, ihre Berufung zu leben.

Stell dir einen Fußball vor. Seine Bestimmung ist es, gekickt zu werden. Wenn der Ball einfach still in irgendeiner

Ecke liegt, verfehlt er seinen Zweck – was er nicht wissen kann, weil er keine Seele hat. Nun stell dir vor, der Fußball hätte doch eine Seele und damit auch ein Ichbewusstsein. Wenn er in der Ecke liegen bliebe, würde er sich irgendwie merkwürdig fühlen, so als fehlte ihm etwas. Er würde vielleicht nie Erfüllung finden, weil er der Welt seinen wahren Wert nicht zeigen könnte.

Und jetzt stell dir vor, dass jemand den Fußball aufhebt und ihn wirft. Während er durch die Luft fliegt, fühlt er sich wie in einem Rausch. Doch schon Momente später spürt er wieder eine Leere in sich, denn er hatte zwar Spaß, aber letztlich reichte ihm das nicht.

Der Fußball wird vielleicht auf verschiedene Arten eingesetzt und ist immer in Bewegung, doch er bleibt trotzdem unerfüllt. Er nimmt an, dass er der Erfüllung umso näher kommt, je mehr in seinem Leben passiert. Aber je mehr er erlebt, desto eindeutiger erweist diese Annahme sich als falsch.

Bis er eines Tages tatsächlich gekickt wird. In diesem Moment wird dem Ball plötzlich alles klar. Er versteht, wozu er gemacht wurde – zum Fußballspielen. Er schaut auf alles zurück, was bisher passiert ist, und begreift die Zusammenhänge. Wenn er durch die Luft flog und wenn er spürte, wie jemand Druck auf ihn ausübte, empfand er eine Freude, die mit seiner Berufung zu tun hatte. Jetzt weiß der Ball, was ihm die ganze Zeit gefehlt hat.

Wenn wir uns auf Rollen einlassen, die nicht unserer tiefsten Bestimmung entsprechen, können wir zwar ein gewisses Maß an Zufriedenheit erreichen, aber wir erlangen keine dauerhafte Erfüllung. Das soll nicht heißen, dass wir keine Freude empfinden – schließlich können wir ja jederzeit unsere Schwingungsfrequenz erhöhen. Echte Erfüllung jedoch finden wir nur, wenn wir erkennen, wozu wir berufen sind.

Der Gedanke, dass unser Leben einen höheren Sinn hat, erscheint dir vielleicht weit hergeholt. Aber wenn du mitten auf einer Wiese ein Smartphone fändest, würdest du vermuten, dass jemand es dort verloren hat. Du würdest nicht glauben, dass ein so komplizierter Apparat sich im Laufe von Jahrmillionen durch natürliche Prozesse entwickelt hat, ohne dass ein Konstrukteur beteiligt war. Trotzdem glauben wir, dass die gesamte Menschheit, die wesentlich komplexer ist als ein Smartphone, durch eine Reihe von Mutationen und natürliche Selektion entstanden ist.

Viele von uns akzeptieren anscheinend, dass wir ohne Bestimmung auf der Welt sind und jeder von uns in diesem Universum mit Milliarden und Abermilliarden von Galaxien einfach nur ein weiteres Menschlein ist. Doch dein Dasein muss einen Sinn haben – genauso wie die Existenz des Smartphones.

Wer durchs Leben geht, ohne an einen höheren Sinn zu glauben, schöpft sein Dasein nicht voll aus. Solche Menschen versuchen vielleicht ihr Leben lang, einfach über die Runden zu kommen. Ihr Lebenssinn besteht im täglichen Kampf ums Überleben, und das Wichtigste ist, die nächste Rechnung zu bezahlen. Klar, das ist notwendig. Wir brauchen Nahrung, Wasser, ein Dach über dem Kopf und Kleidung, das alles kostet Geld. Aber glaubst du wirklich, du bist auf die Erde gekommen, um auf diese Weise dein Leben zu fristen und dann zu sterben?

Das Leben ist großartiger, wenn du ein Ziel hast.
Erst wenn du für das, was du tust,
einen sinnvollen Grund findest, fühlst du dich
vollkommen erfüllt.

Das Leben ist oft schwierig, und Geld gibt uns tatsächlich viel mehr Freiheit. Trotzdem, habe Vertrauen, dass du für die Menschheit einen Zweck erfüllen und gleichzeitig deine finanziellen Bedürfnisse decken kannst. Dieser Lebenszweck muss kein hochgestecktes Ziel sein – du brauchst weder der nächste Dalai Lama zu werden noch in die Fußstapfen von Mark Zuckerberg zu treten. Du musst jedoch danach streben, etwas Wertvolles beizutragen, und das ist nur möglich, wenn du etwas tust, was dich von ganzem Herzen erfreut. Daher spielt die Leidenschaft in einem großartigen Leben eine so bedeutende Rolle.

Nicht jeder weiß, was er leidenschaftlich gern tut. Der Amerikaner Darryl Anka arbeitet seit vielen Jahren als Medium für ein Geistwesen namens Bashar. Bashar gibt den Rat, dass du am schnellsten erkennst, was du willst, wenn du deiner Freude folgst. Dein nächster Schritt sollte immer der sein, der dir am meisten Freude bereitet. Du brauchst ihn nicht zu rechtfertigen, sagt Bashar, du musst ihn bloß gehen.[15]

Tu also das, was dich gerade wirklich begeistert. Achte aber darauf, dass du nicht etwas wählst, von dem du nur glaubst, es müsste dich begeistern oder es würde andere begeistern.

Dass du dich von etwas angezogen fühlst,
ist kein Zufall: Ziele suchen dich genauso aus,
wie du sie aussuchst. Es ist tatsächlich so einfach.

Mach es nicht zu kompliziert, indem du versuchst, alles bis ins Kleinste zu durchdenken. Belüge dich nicht und zwinge dich nicht zu etwas, das dir nicht machbar erscheint. Wenn du zum Beispiel gern zeichnest, könntest du eine Homepage oder ein Account in den sozialen Medien einrichten und dort einen Teil deiner Arbeiten zeigen. Bemühe dich nicht gleich, deine Bilder für viel Geld zu verkaufen, schon gar nicht, wenn dir das in diesem Stadium ziemlich aussichtslos erscheint. Du solltest etwas tun, das du gern kostenlos anbietest, ohne Erwartungen, einfach weil es dir wirklich am Herzen liegt. Wenn es dir keine Freude macht, ist es nicht das Richtige für dich.

Es ist nicht nötig, dass du deine derzeitigen Verpflichtungen sofort aufgibst und finanzielle Risiken eingehst. Wichtig ist jedoch, dass du neugierig bleibst, dass du begierig auf positive Veränderung bist und immer wieder Schritte unternimmst, um das zu erreichen, was deinen Geist, deinen Körper und deine Seele anregt.

Mach dir keine Sorgen darüber, was dein nächster Schritt sein sollte oder wie die Dinge sich entwickeln werden. Denke daran: Wenn du dem Universum deine Freude zeigst, wird es dir weitere Dinge schicken, über die du dich freuen kannst.

Erstaunliche Möglichkeiten werden sich ergeben und dir helfen, deinen Weg im Leben zu entdecken. Du brauchst nur den Hinweisen zu folgen.

Kleine Schritte sind gut, sie führen auf Größeres zu. Mit der Zeit wirst du dann eine Möglichkeit finden, wie du mit deiner Leidenschaft deinen Lebensunterhalt finanzieren kannst. Es könnte eine Erweiterung dessen sein, was du jetzt schon tust. Wenn du aber einen Beruf ausübst, der dir nicht liegt, gibst du ihn möglicherweise irgendwann auf und widmest dich ganz deiner Bestimmung.

Du wurdest mit einer Absicht geschaffen. Du bist hier, um zu helfen und zu lieben, um andere zu unterstützen, zu retten und zu unterhalten. Du bist hier, um deine Mitmenschen zu inspirieren und ihnen ein Lächeln ins Gesicht zu zaubern. Du bist hier, um etwas zu verändern. Du wärst nicht gerade zu dieser Zeit auf die Welt gekommen, wenn du nicht etwas Besonderes zu bieten hättest.

Dein Dasein hat einen Sinn. Wenn du entdeckst, worin er besteht, wirst du die Dynamik der Welt verändern und in deinem persönlichen Leben Wohlstand und Fülle erfahren.

Geld und Gier

Geld ist nichts weiter als Energie – weder gut
noch schlecht und in unserem Universum der
unendlichen Fülle unbegrenzt vorhanden.
Dein Geld soll für dich eine Unterstützung,
nicht aber deine Erfüllung sein.

Manche finden, es wäre falsch, die eigene Bestimmung zu leben und damit auch noch Geld zu verdienen. Daher wollen wir uns einmal ansehen, was Geld eigentlich bedeutet. Wenn du jetzt etwas sagen willst wie: «Geld ist ein Tauschmittel, das für die Abwicklung des Handels mit Waren oder Dienstleistungen eingesetzt wird», darf ich dir gleich ins Wort fallen: Geld ist schlicht und einfach Energie!

Folglich ist Geld weder gut noch schlecht. Es liegt an dir, welchen Stempel du ihm aufdrückst. Wie wir Geld interpretieren, hängt davon ab, ob wir, finanziell gesehen, positive oder negative Situationen anziehen.

Es gibt Menschen, die mit ihrem Geld großartige Dinge vollbringen, während andere es so verwenden, dass es ihre innere Not widerspiegelt. Geld ist ein Verstärker. Trägst du etwas Wertvolles bei, indem du dich bemühst, Freundlichkeit und Liebe zu verbreiten, auch wenn du knapp bei Kasse bist? Wenn nicht, wie kommst du dann darauf, dass du freigebiger wirst, wenn du mehr Geld hast?

Geld fließt denen zu, die davon überzeugt sind, dass sie es verdienen und dass es zu ihnen kommen wird. Daher frage ich dich jetzt: Wie stehst du zu Geld? Glaubst du, dass du es verdienst, mehr Geld zu haben? Deine derzeitige Realität sagt viel über deine unterbewusste Haltung zu Geld aus, und wenn du diese Einstellung nicht änderst, wird sich auch dein Verhältnis zum Geld nicht ändern.

Manche beten um Geld, sagen aber im nächsten Moment, es sei die Wurzel allen Übels. Das ist, als würde man in ein Burger King gehen, etwas bestellen und dann vor Ungeduld das Lokal verlassen, bevor man das Essen bekommen hat. Wie soll das Universum eine Bitte erfüllen, wenn du selbst nicht mehr richtig dahinterstehst?

Andere haben ein schlechtes Gewissen, weil sie sich mehr Geld wünschen, denn ihnen wird eingeredet, sie seien gierig. In Wahrheit wünschen die meisten von uns sich Geld, weil sie finanziell unabhängig sein und den Lebensstil, den sie anstreben, ohne Einschränkungen verwirklichen wollen. Dazu gehört möglicherweise, dass man mit seinen Lieben in Urlaub fahren kann, wann immer man will, ohne sich Gedanken darüber machen zu müssen, wie viel man in den Ferien ausgibt. Wer das als Gier ansieht, weil andere sich diesen Lebensstil niemals werden leisten können, nimmt an, dass a) die Geldmenge begrenzt ist und b) andere ihren derzeitigen Lebensstil nicht verändern können, um die gleiche Freiheit zu genießen.

Gierig bist du, wenn von einer bestimmten Sache nur

eine begrenzte Menge vorhanden ist und du den größten Teil davon für dich beanspruchst, was folglich auf Kosten des Wohlbefindens anderer geht.

Uns wird weisgemacht, dass das, was wir uns wünschen, nur in begrenzter Menge vorhanden sei. In Wahrheit jedoch stellt das Universum es uns in Hülle und Fülle zur Verfügung.

Einschränkungen gibt es also nur in unserer Vorstellung. Wenn du dich mental auf das ausrichtest, was dir fehlt, schickst du auf Angst basierende Schwingungen ins Universum hinaus und ziehst damit mehr von dem an, was dir Angst macht. Du bekommst Angst, Geld zu verlieren, daher hütest du es wie deinen Augapfel. Du fürchtest dich, es auszugeben, weil du nicht weißt, ob du jemals wieder so viel haben wirst. Als Konsequenz daraus führt deine Schwingungsfrequenz vielleicht sogar dazu, dass du in finanzielle Schwierigkeiten gerätst, obwohl du dein Bestes tust, um dein Geld festzuhalten.

Wenn wir mit unserer Energie das Armutsdenken unterstützen, manifestieren wir Armut. Ich sage nicht, dass du nicht sparen oder dass du dein Geld zum Fenster rauswerfen solltest. Doch du solltest dich gedanklich auf Wohlstand konzentrieren. Es hat Kraft, wenn wir an einen reichlichen Geldfluss in unsere Richtung glauben und ihn zulassen.

Allzu häufig werden uns Vorstellungen von Mangel und Begrenztheit untergejubelt. Die Wahrheit aber ist, dass wir mit unserer kreativen Kraft selbst über unsere Umstände bestimmen können. Wenn es einzelnen Personen gelingt, der Mehrheit Angst einzuimpfen, strahlt die Schwingungsfrequenz des kollektiven Bewusstseins Angst, Armut und Zerstörung aus. Das ist eine effektive Methode, um Macht über die Menschheit zu erlangen.

Geld ist für jeden von uns verfügbar. Der Abstand zwischen dir und dem Geld wird allein durch deine Haltung bestimmt. Denke jedoch daran, dass Geld dir nur helfen kann, dich aber nicht erfüllen wird. Es kann dir keinen Sinn im Leben geben. Du trägst nichts Wertvolles bei und dienst der Menschheit nicht, indem du bloß eine Menge Geld anhäufst. Du musst außerdem den dringenden Wunsch haben, etwas zum Positiven zu verändern.

Wahres Glück

Nicht Menschen, Orte oder Dinge machen dich
glücklich. Glück kommt von innen.

Den Gebrauch des Wortes Glück habe ich in diesem Buch absichtlich stark eingeschränkt, weil ich es mir bis ganz zum Schluss aufsparen wollte. Ich hoffe, du hast erkannt, dass du glücklich bist, wenn du deine Schwingungsfrequenz erhöhst und Freude empfindest.

Man redet uns ein, dass Glück von äußeren Einflüssen abhängt, von Menschen, Orten oder Dingen. Wir alle haben viele Ziele und Wünsche und glauben, wenn wir sie erreichen, werden wir für immer glücklich sein: Wenn wir einen Lebenspartner finden, werden wir glücklich sein. Wenn wir ein eigenes Haus haben, werden wir glücklich sein. Wenn wir zehn Kilo abnehmen, werden wir glücklich sein. Solche Glücksgefühle jedoch sind nur von kurzer Dauer – sie sind unbeständig. Daher fasst du, wenn einer deiner Wünsche in Erfüllung gegangen ist, gleich das nächste Ziel ins Auge, von dessen Erreichen du dir bleibendes Glück versprichst.

Viele Menschen verbinden Glück mit Geld. Doch von den Superreichen dieser Welt lernen wir, dass Geld allein nicht glücklich macht. Wenn es tatsächlich ein Maßstab für Glück wäre, bei welchem Kontostand würde das Glück dann beginnen? Und wann wäre das Konto so gut gefüllt, dass mehr Geld das Glück nicht weiter vergrößern würde? Schließlich ist die Skala nach oben hin offen. Viele wollen, selbst nachdem sie ihr Ziel erreicht haben, noch immer mehr. Geld ist als Messinstrument für Glück also unbrauchbar.

Ich habe zu Beginn dieses Buches erklärt, dass wir uns um viele Dinge bemühen, weil wir glauben, dass es uns glücklich machen wird, wenn wir sie bekommen. Das gilt auch für Geld: Wir wollen nicht das Geld an sich haben, sondern die Sicherheit und die Freiheit, die es uns schenken wird, denn wir glauben, dass Sicherheit und Freiheit uns glücklich machen werden.

Doch wenn du der einzige Mensch auf der Erde wärst und Zugang zu unbegrenzt viel Geld hättest, was würde dir das nützen? Oder wie wäre es, wenn du dir jeden Urlaub und jedes verrückte Abenteuer leisten könntest, dein Gesundheitszustand aber ausgesprochen schlecht wäre? Was wäre, wenn du dir kaufen könntest, was du nur möchtest, aber von allen Leuten gemieden würdest? Oder wenn du unbegrenzt viel Geld zur Verfügung hättest, dafür aber zwanzig Stunden am Tag den schlimmsten nur denkbaren Job machen müsstest?

Selbst deine Traumfrau oder dein Traummann kann dir kein immerwährendes Glück garantieren. Sie oder er kann dich nur bedingt glücklich machen, und dieses Glück kann in Sekundenschnelle vorüber sein, wenn sich in der Beziehung etwas ändert – wenn sie oder er zum Beispiel so handelt, dass du dich verletzt fühlst.

Die Werbebranche spielt gekonnt mit deinem Wunsch

nach Glück. «Kauf das hier, dann wirst du glücklich», verspricht sie. Du kaufst es, und sechs Monate später bringt die Firma eine neue Version heraus. Du erkennst, dass dein Produkt dir kein immerwährendes Glück beschert hat, daher kaufst du das neue Gerät und hoffst, dass es dir mehr Glück bringt. Und das wird sich wiederholen.

Was wäre, wenn du immerzu glücklich sein könntest? Ist das nicht unser höchstes Ziel? Es würde bedeuten, dass du in jedem Moment mit dem glücklich bist, was du hast – und zwar dein Leben lang. Wir könnten dann sagen, dass dauerhaftes Glück der wahre Erfolg ist.

Wahres Glück hört nicht auf. Wirklich glücklich bist du, wenn du ständig auf der höchsten Frequenz schwingst, trotz allem, was sich auf der Oberfläche deines Lebens gerade abspielt. Ich glaube, wir alle sehnen uns nach diesem Zustand, nach einer emotionalen Verfassung, in der weder Menschen noch Ereignisse uns unsere natürliche Liebe und Freude nehmen können.

Um Glück dauerhaft zu bewahren, musst du Selbstbeherrschung erlangen. Du musst eine Reise nach innen antreten, die spirituelles Wachstum erfordert. Dazu sollte es für dich selbstverständlich werden, stärkende statt einschränkende Gedanken zu wählen. Du musst es dir zur Gewohnheit machen, die Dinge von der positiven Seite zu betrachten. Du musst die Vergangenheit loslassen und aufhören, in der Zukunft zu leben. Würdige, wo du gerade stehst und was du in diesem Moment hast, vergleiche dich nicht mit anderen und liebe alles auf dieser Welt bedingungslos. Nimm das an, was ist, und sei glücklich.

Zum Abschluss

Der Weg zu einem großartigeren Leben ist alles andere als leicht. Das ist der Grund, weshalb die meisten Menschen sich mit weniger zufriedengeben. Aber wenn du dir die Zeit nimmst, das, was du in diesem Buch gelernt hast, umzusetzen, und wenn du mit Entschlossenheit, Optimismus und Beharrlichkeit handelst, wirst du erfolgreich sein. Mit einem kleinen Schritt nach dem anderen wirst du eine so große Dynamik aufbauen, dass niemand dich aufhalten kann und du dem Leben deiner Träume immer näher kommst.

Denke daran, dass in jeder Herausforderung eine Lehre, in jedem Scheitern eine Lektion verborgen ist. Das heißt, dass deine Misserfolge gar keine Misserfolge sein müssen, sondern dass sie einfach Wegbiegungen sind und dich letztlich ans Ziel führen. Wenn du dich mit ganzem Herzen für etwas einsetzt und es trotzdem nicht klappt, kannst du das als Hinweis des Universums betrachten, dass es nicht das Richtige für dich war. Etwas Besseres wird kommen. Mach weiter.

Denke auch daran, deiner Intuition zu vertrauen. Höre auf dein Bauchgefühl, das dich vor toxischen Beziehungen warnt. Horche auf die Stimme in deinem Kopf, die dich wissen lässt, wann du deine Zeit verschwendest. Respektiere deine persönlichen Grenzen und fordere auch deine Mitmenschen auf, sie zu respektieren. Wenn etwas sich nicht richtig anfühlt, ist es das wahrscheinlich auch nicht. Fühlt etwas sich dagegen wunderbar, zutiefst und machtvoll richtig an, dann ist es wahrscheinlich das Richtige. Nimm es an. Lass es fließen.

Wenn du Vertrauen hast und deine Angst loslässt, wird sich dein Leben vom Gewöhnlichen zum Außergewöhnlichen entwickeln. Du wirst deiner höheren Bestimmung folgen – denn es ist unmöglich, das nicht zu tun, wenn du dich mit jeder Faser deines Wesens dazu verpflichtet hast, auf deiner Lebensreise persönlich zu wachsen.

Du hast alles, was du brauchst, um dir ein aufregendes, schönes Leben zu schaffen. Es beginnt damit, dass du dich selbst liebst. Wenn du eine hohe Schwingungsfrequenz aufbaust und aufrechterhältst, wirst du deine Träume verwirklichen. Und auch wenn du dazu viel Zeit benötigst: Deine hohe Schwingungsfrequenz wird dafür sorgen, dass du dich auf dem Weg dorthin wohlfühlst. Das ist doch unser größter Wunsch, oder nicht? Wir möchten ein Leben führen, in dem wir uns wohlfühlen.

Ich verspreche dir, dass du auf dem Weg der Selbstliebe Unglaubliches erreichen wirst. Es wird vielleicht kein Spaziergang werden, und es kann Zeit brauchen. Vielleicht musst du auf deiner Reise auch Opfer bringen. Aber sie werden es wert sein.

Jetzt liegt es an dir.

Vex King.

Die Mission dieses Buches

Als ich 21 war, sprach eine Frau mittleren Alters mich in einem Buchladen an. Sie kam zu mir herüber und sagte: «Sie sind gesegnet. Sie sind Gott nahe. Sie müssen der Welt Ihre Botschaft mitteilen. Damit werden Sie vielen Menschen helfen.»

Ein anderes Mal wartete ich nach der Arbeit auf den Zug nach Hause. Als ich ans Ende des Bahnsteigs ging, entfernten sich alle Leute, die bereits dort standen. Das passierte sonst nie. (Ich roch sogar an meinen Achseln, um sicherzugehen, dass ich keinen unangenehmen Geruch verströmte.) Wenige Momente später trat plötzlich eine alte Frau mit Kopftuch auf mich zu und fragte aus heiterem Himmel, womit ich meinen Lebensunterhalt verdiente. Noch während ich ihre Frage beantwortete, unterbrach sie mich mit den Worten: «Sie sind etwas Besonderes.» Verwirrt und besorgt wollte ich mich zurückziehen, doch da sagte sie: «Sie haben aus ihrem letzten Leben viel Segen mitgebracht, aber Sie sollten auch wissen, was Sie falsch gemacht haben.»

Diese Bemerkung faszinierte mich, daher hörte ich der Frau weiter zu. Sie erzählte mir, was und wer ich in meinem vergangenen Leben gewesen war. Sie behauptete, ich hätte zu einem Spezialteam beim Militär gehört. Dort sei ich einer der angesehensten Soldaten gewesen, und mein Land habe sehr von meinen Erfolgen profitiert, obwohl ich auch viele Menschen verletzt hätte. Sie erklärte mir, welche Auswirkungen dieses Verhalten in meinem mutmaßlichen vorigen Leben auf mein jetziges Leben hatte.

Auch wenn die Geschichte bizarr klang, war sie doch sehr phantasievoll und fesselte mich. Die alte Dame sagte mir, was ich in diesem Leben tun musste, um meine Aufgabe zu vollenden. Eins machte sie sehr deutlich: Ich sollte mich niemals von meiner Wut überwältigen lassen, weil das mein Scheitern zur Folge haben würde. Sie ermutigte mich, anderen Menschen positive Botschaften zu übermitteln, denn damit könnte ich sie heilen.

Ich weiß noch, dass ich mir damals das Lachen verbeißen musste, weil ich das alles so komisch fand. Ich war nicht überzeugt und konnte das nicht ganz verbergen. Schließlich sagte sie: «Na gut, Sie brauchen mir nicht zu glauben, aber jeder gute Rat ist Gold wert.» Noch während sie diese Worte sprach, fuhr mit unerwarteter Verspätung mein Zug ein. Ich sagte, ich müsse los, und steuerte eine Tür an. Die alte Dame verabschiedete sich – und dabei nannte sie meinen Namen, obwohl ich ihr nicht gesagt hatte, wie ich hieß. Als ich eingestiegen war, schaute ich aus dem Fenster, aber es war nichts mehr von ihr zu sehen.

Solche Erlebnisse hatte ich häufiger. Anfangs betrachtete ich sie als seltsame Zufälle und hielt sie nicht für wichtig. Doch es gab zahllose Situationen, in denen sich ähnliche Dinge ereigneten, und mittlerweile sehe ich allmählich den Sinn dahinter. Mein Leid hat mir geholfen, meine Leidenschaft zu entdecken, was mich wiederum dazu geführt hat, meine Bestimmung zu erkennen. Es bereitet mir die größte Freude, wenn ich anderen helfen kann, ihr Leben zu verbessern. Ich liebe es, Menschen gewinnen zu sehen.

Ende 2015 startete ich eine Seite auf Instagram, um meine persönlichen Zitate und Gedanken über das Leben, die Liebe und die Berufung zu teilen. Mein Anliegen war, online Optimismus zu verbreiten. Da Instagram für die Nutzer kostenlos ist, konnte ich zum Leben zahlreicher Menschen etwas beitragen, ohne dafür Geld zu verlangen.

Innerhalb von wenigen Monaten hatte ich eine stetig wachsende Zahl von Followern. Immer mehr Leute fühlten sich von meinen Worten inspiriert. Meine Bekanntheit wuchs, und Monat für Monat suchten Hunderte von Menschen meinen Rat, weil sie meine Lebenseinstellung bewunderten. Damit bot sich mir die Möglichkeit, andere zu coachen und sie zu positiven Veränderungen anzuleiten.

Heute bezeichne ich mich als *Mind Coach* – ich helfe anderen, auf neue Art zu denken und eine neue, positive Lebensweise zu realisieren. Wenn du Kontakt zu mir aufnehmen möchtest, besuche bitte meine Website unter vexking.com.

Dank

Kaushal, meine Ehefrau, meine Seelenverwandte, meine beste Freundin, du hast mich nicht nur ermutigt, dieses Buch zu schreiben, sondern mich auch dazu angeregt, meine Worte mit der Welt zu teilen, und dafür danke ich dir. Du hast immer an mich geglaubt und in mir das gesehen, was ich bin, nicht das, was ich nicht bin. Ohne dich wäre mein Weg bis hierher nicht möglich gewesen. Ich könnte mir keine bessere Lebensgefährtin wünschen.

Danke euch, meine lieben Schwestern, ihr habt geholfen, mich großzuziehen, und musstet euch meine Frechheiten gefallen lassen. Ich weiß, dass ich nie einfach war, und ich danke euch für die Geduld, mit der ihr mein Aufwachsen begleitet habt. Ihr seid von Anfang an für mich da gewesen, und gemeinsam haben wir Zeiten durchgemacht, die zu den schlimmsten unseres Lebens gehören. Ich glaube nicht, dass ich ohne euch hätte durchhalten können.

An Jane Graham Maw, meine Agentin, und an das Team von Hay House Publishers: Danke, dass ihr an dieses Buch und an meine Vision, mit meinen Worten die Welt zu verändern, glaubt. Eure harte Arbeit und eure Unterstützung bedeuten mir unglaublich viel. Ihr gebt mir die Gelegenheit, die Welt zu einem besseren Ort zu machen.

Und schließlich möchte ich meinen wunderbaren Followern in den sozialen Medien aufrichtig danken. Ihr unterstützt mich und inspiriert mich dazu, meine Ansichten weiterhin zu teilen. Euretwegen und für euch habe ich dieses Buch geschrieben.

Anmerkungen

1 Rhonda Byrne, *The Secret – Das Geheimnis*. München: Goldmann (Arkana) 2007. Aus dem Englischen von Karl Friedrich Hörner.

2 Napoleon Hill, *Die deutsche Ausgabe von Think and Grow Rich*. München: FinanzBuch Verlag 2018, 9. Aufl. 2020. Übersetzt von Petra Pyka. (Diese Ausgabe beruht auf dem Originaltext von Napoleon Hill.)

3 Ebd., S. 71.

4 Bruce Lipton, *The Biology of Belief: Unleashing the Power of Consciousness, Matter and Miracles*. London u. a.: Hay House 2015. brucelipton.com; greggbraden.com; «Sacred knowledge of vibrations and water» (Gregg Braden auf Periyad VidWorks, YouTube, August 2012), mit Übersetzung ins Deutsche: «Die Wirkung von Gedanken auf Materie, Selbsterkenntnis und Befreiung», YouTube, ab 5:17.

5 Kenneth James Michael MacLean, *The Vibrational Universe*. Ann Arbor: The Big Picture 2005.

6 Simone Schnall und James D. Laird, «Keep smiling: Enduring effects of facial expressions and postures on emotional experience and memory». In: *Cognition and Emotion*, 2003, 17 (5), S. 787–797.

7 D. Carney, A. Cuddy, A. Yap, «Power Posing: Brief nonverbal displays affect neuroendocrine levels and risk tolerance». In: *Psychological Science*, 2010, S. 1363–1368.

8 E. Fiorito, B. Losito, M. Miles, R. Simons, R. Ulrich, M. Zelson, «Stress recovery during exposure to natural und urban environments». In: *Journal of Environmental Psychology*, 1991, 11 (3), S. 201–230.

9 André Simoneton, *Radiations des aliments, ondes humaines et santé*. Paris: Le Courrier du Livre 1971.

10   «Learn meditation from this Buddhist monk». MBS Fitness, YouTube, 2016.

11   Masaru Emoto, *Die Botschaft des Wassers. Sensationelle Bilder von gefrorenen Wasserkristallen.* Dorfen: Koha Verlag, 2. Aufl. 2002. Aus dem Englischen von Urs Thoenen.

12   «J. Cole Interview». Fuse On Demand, YouTube, Januar 2011.

13   Marc Sessler, «Colin Kaepernick foretold future in fourth-grade letter». NFL.com, 17. Dezember 2012.

14   A. Budney, S. Murphy, R. Woolfolk, «Imagery and motor performance: What do we really know?» In: Anees A. Sheikh, Errol R. Korn (Hg.), *Imagery in Sports and Physical Performance.* Amityville (NY): Baywood Publishing Company 1994, S. 97–120.

15   Bashar: «Finding your highest excitement». YouTube, 26. September 2006, und weitere.

Jay Shetty
Das Think Like a Monk-Prinzip

Finde innere Ruhe und Kraft für ein erfülltes und sinnvolles Leben

Als er gerade frisch von der Wirtschaftshochschule kommt, wendet sich der gebürtige Londoner Jay Shetty von der Welt der Anzüge und Büros ab, rasiert seinen Kopf und wird Mönch. Nach drei Jahren in Indien folgt er seinem Gefühl nach der eigenen Berufung und kehrt zurück, um das, was er gelernt hat, auf überzeugende Weise – aktiv, dynamisch, unterhaltsam, zugänglich – mit der Welt, aus der er gekommen war,

448 Seiten

...eilen. Es gelingt: Heute folgen ihm über ...Millionen Menschen in den sozialen Medien.

...Shetty bringt zwei anscheinend nicht zu vereinende Welten aufs ...essanteste zusammen: Mönch und Medien, Aufrichtigkeit und ...hleunigung, Akzeptanz und Ambitionen.

Weitere Informationen finden Sie unter **rowohlt.de**